写给大家的中国美术史

蒋勋 著

生活·讀書·新知 三联书店

写在前面

这本书正如其名，是一部写给大家的中国美术史。不论纯稚少年，还是耄耋老人，阅读起来都不会感到晦涩，因为它的主旨很单纯，那就是——唤起人们的“爱美之心”。

作者蒋勋是台湾著名作家、诗人与画家，年轻时曾赴法国巴黎大学专门攻读艺术史。为和更多朋友分享艺术欣赏的喜悦，他走出围墙内的学院，投身美学教育的普及工作，在社会的讲堂上开讲美术，并陆续撰写了《美的沉思》、《给青年艺术家的信》、《天地有大美》等多种著作。其中，《写给大家的中国美术史》是广受青年朋友欢迎的一种。这本书以简明生动的文笔，依照朝代次第，勾勒出中国美术的诞生、演变与发展的脉络。通过这样一次对传统的梳理，作者不仅希望向读者传递知识，更希望传达出历代中国人对美的独特感受。他认为，“传统文化是活着的文化，不但活着，而且不能只活在学者专家身上，必须活在众人百姓之中”。凭着这样的信念，作者摒弃学者式的考据和专家的炫耀之心，力避理论，从始至终以温暖知性的语言与年轻一代娓娓交谈，写成了这部有血有肉的中国美术史。

本书繁体字版1990年由台湾东华书局出版以来，重版十余次，累积40余万册；1993年本店引进后，也两次重印，发行2万余册。针对更大众化的阅读需求，本版以本店2008年7月新版（第二版）内容为基础，与第一版相比，由竖排变为横排本，图文均有修订，希望能增进阅读的便利与美感。

生活·讀書·新知 三联书店编辑部

2008年8月

序

跟年轻一代的学生们讲中国美术史，一直是我多年来的心愿。

在欧洲读书的时候，很羡慕西方国家整理出来的，各式各样的儿童读物和青少年读物。这些读物大多是深入浅出地，把他们民族文化的传统，用一点也不艰深的方式介绍给下一代。

这些介绍传统文化的书籍，虽然出自重要学者专家之手，却绝不故作高深，没有学究式排比资料的自我陶醉，也没有炫耀专业知识的虚荣。他们似乎非常清楚，所谓“传统”，就是活着的文化，不但活着，而且不能只活在学者专家身上，必须活在众人百姓之中。他们也了解到，传统的介绍，不只是考证复古，而是要启发现代人的生活，使现代人生活得更活泼、更圆满，而不是更窒息僵化，不是用传统压死下一代活泼的生命力。

这样一个心愿，多年来我不敢实现，是因为有着主观和客观的许多障碍。当然，最主要的，是自己始终也没有干净地摆脱“学者”的陶醉罢。下过几次笔，吊书袋子、卖弄考证、炫耀专业知识的毛病，不觉就要流露出来。我知道，我还没有资格写一本单纯教导学生们爱美之心的书。

我因此要特别感谢卓刘庆弟女士，没有她一清如水的对孩子的未来近于梦想的爱，我想，这本书我还是迟迟不敢下笔。

因为她的鼓励，我开始重新思考，如何可以摆脱学者的卖弄，如何摆脱知识专家的炫耀之心，单纯地像孩子一样，去再一次观看那中国古老的彩陶、斑驳的青铜器；看故宫博物院一片一片发黄残破的绢帛上，晋唐人的字迹和墨痕；看矗立在石壁上巨大的北魏石刻佛像的庄严；看深藏在洞窟中暗无天日，然而依旧灿烂夺目的敦煌彩绘……

这个民族，历经数千年不曾停止的对美的信仰，下一代还有福分继承吗？

我想反复叮咛，一而再、再而三地叮咛，因为那永不停止的对美的信仰，才是年轻一代真正应该读的“中国美术史”啊！

这本书写作期间，为了了解年轻一代的阅读能力或思考范围，我不断以我的干女儿姚若洁做对象，作为我叙述的对象参考，她是这本书的“顾问”。

我相信，这本书尚有许多不完备之处，但是，我高兴自己在“美”和“年轻人”间找到了一种自在，使我重有了观看一切美丽事物的单纯之心。

写到最后，我只是觉得在不断把年轻人带领到“美”的面前，使你们聆听“美”的言语，使你们在“美”的面前惊讶、好奇、流连、低回，使你们在此后可能辛苦艰困，也可能丰富灿烂的一生中有所依伴，知道无论在如何的处境，不能放弃了对美的信仰。

这本书因为两个都有孩子之心的好友而完成，因此这本书也应当属于她们——卓刘庆弟及姚若洁，以及更多的青年朋友，谢谢。

蒋勋

目录

春秋战国

汉

唐

元

明

清

清末民初

绘画的开始

——绘画的观察 、思考与表达

象形文字

“为什么要画画呢？”

如果我是小学生，我一定要问我的爸爸妈妈：“为什么学校里有图画课？”

上图画课的时候，老师发给学生一些白纸。小学生就用铅笔、蜡笔，或者蘸水彩的笔在白纸上画画了。

老师问学生们：“有没有看过早上的太阳？”

学生们说：“有！”

“可以画下来吗？”

“可以！”

学生们就打开蜡笔盒，挑了一支橘红色的蜡笔，在白纸上画了一个圆圈，又在圆圈四边画上一道一道的光线。

也有人在太阳的下方，又用绿色画了一条水平线，代表大地；太阳就好像从地面上升起来一样了。

中国古代也有人用这样的方法画早上的太阳。画一个圆圈，中间点一点，然后在底下加一道线；好像这个样子：

我们的祖先很聪明，当他看到太阳从地平线上升起。就随手画了一个☉。

旦

这个图画后来就被用来代表早上太阳升起来的时间，叫做“旦”。

“旦”，也就是黎明的意思。

你看，我们现在还说“元旦”，也就是一年第一个太阳升起的日子。

用一根横线代表大地，原来古时候中国人的想法，和现在的小学生非常相像。

用一个圆圈代表太阳，古时候的中国人也和现在的小学生一样。

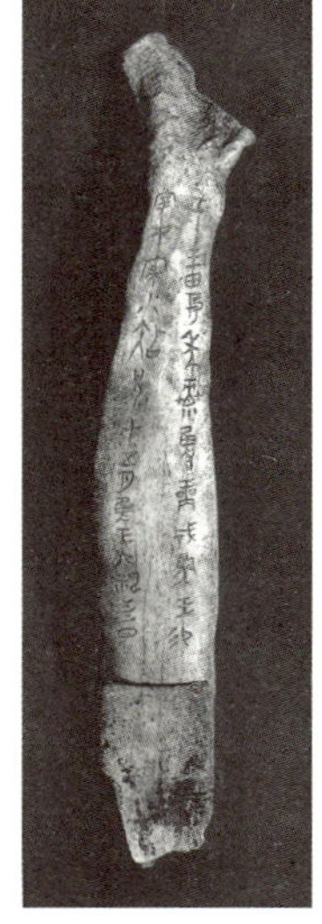

“宰丰”骨匕
商　高27.3厘米　宽3.8厘米
河南省安阳县出土
北京中国国家博物馆藏

图画没有改变。只有图画变成文字，为了写起来方便，才把圆圈改变成了一个四方形的框框。中间的一点，也改成一横了。

中国人常常说“书画同源”；也就是说：文字和图画原来是同一样东西。我们看中国古代的文字，简直和看画一模一样。

商朝的人用刀子把文字刻在牛骨或乌龟的甲壳上，我们叫做“甲骨文”。

甲骨文上的字，都像画一样。

月亮就画一个“☽”，像阴历月初的月亮。太阳就是“☉”。（世界上有很多圆形的东西，可是太阳这个圆，是最大的圆，最特别的圆，跟我们有很密切的关系，所以要在中间加一个点。）

甲骨文中也有比较复杂的画。

譬如“鹿”，商朝人就真的画了一只鹿。你看，，大眼睛，头上一对美丽的角，像不像在动物园里看见的鹿呢？

这是古代的车子。

商朝人已经发明了车子，两个圆形的轮子，中间连贯一根轴，前面用牛马来拉，所以有一根弯曲的轭。商朝的“车”这个字就画成了这样。

也有更简单的车，就画做。

甲骨文中的“车”，有许多种不同的画法。

如果我们现在要每一个小学生画一辆车子，结果，画出来的大概都不一样罢！

可是，如果我们要大家用文字写“车”，结果写的都一样。

图画和文字原本是一样的。可是到了后来，文字为了使大家都能了解，就统一成了一个样子。可是，图画的目的并不仅仅是为了表达共同的意思，所以每个人都可以画自己想画的样子。图画非常自由，每个人都可以和别人画得不一样。

“为什么要画画呢？”

这个问题不容易回答。如果你用这个问题问别人，他们一定皱着眉头说：“伤脑筋！”

可是你可以想象：很早很早以前，地面上没有很多房子，也没有很多车子。有一个人，站在平原上。他远远看着非常平坦的大地，像一根线一样；他也看到一个又圆又大的太阳，从地面上升起。

这个人很快乐。他觉得太阳从平坦的大地上升起来的样子真是好看。

他顺手拣了一根树枝，在地上画了一个圆，又在底下画了一道横线。

这是最早的中国绘画罢！

大部分的儿童，在会写字以前就会画画了。

现在的儿童画的“日出”，也还跟古代中国人画的“日出”很相像。

画画的过程中，有观察、有思考、有模仿、有表达。所以，虽然画画看起来似乎没有什么用，可是，人类的文明中却永远缺不了画画呢。

象

中国人把商代和周代的文字叫“象形”文字。

为什么叫“象形”呢？

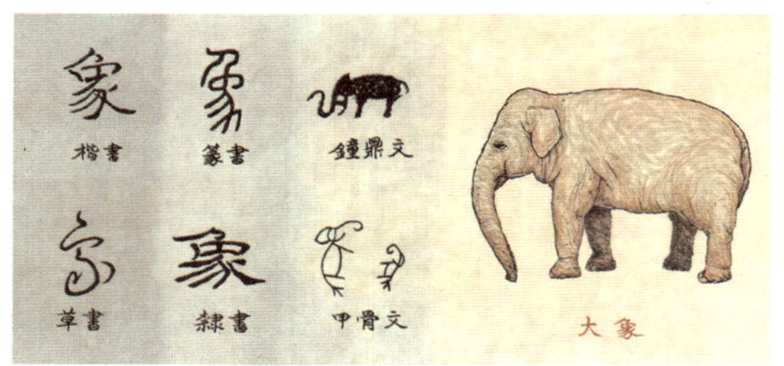

你看，这些“象”字，像不像“象”？

很有趣，我们在商周铜器上看到当时的“象”这个字，千真万确就是一只画出来的象呢！

长鼻子、大耳朵，笨重肥大的身躯，还有长而尖锐的象牙呢！

这个字实在太像图画了，把大象的形状一点不遗漏地画了出来。不知道是不是这个原因，这种古老的图画文字就被叫做“象形字”了。

当然，中国古代文字中也有很多并不象形；甚至有许多字，我们现在已经不知道意思了。

人类的生活越来越复杂，不是光有象形文字就能够表达的。例如说，我很爱你，这个“爱”字，要用象形字表达就很难。

因此，文字就越来越向表达复杂意思方面发展了。

至于图画呢？

图画和文字分开以后，文字专门为了传达意思，图画似乎就是为了好看。

所以我们把画图叫做“美术”。

学习画图的课叫做“美术课”。

在商周时代，那个画出象来的人，一方面是传达了“象”这个字；另一方面，他对这个字的形状也感觉到一种快乐罢。

如果你有能力把一只大象画得很像，你也一定对自己的观察和表达能力感到快乐罢。

所以，你有没有发现到，当你用笔写下“象”这个字的时候，你可以很快写完，而且一点都不会错。可是，试试看，如果请你用笔画一只象，你是不是会犹豫很久呢？

你看过象吗?也许在动物园，也许在图片上看过，可是一下子要画，还真不知道怎么画呢!

是的，我们越来越熟悉文字的意思，可是对真正的“象”却越来越陌生了。

文字使我们的观察偷懒，也使我们的表达能力逐渐退化了。

“为什么要画画呢?”

画画使我们观察、思考、表达。

许多人认为画画是为了做画家，不做画家就不用画画了。

其实完全错了。

画画使我们观察、思考、表达。画画使我们更像一个健全的人，有很细密的观察能力，有很清晰的思考能力，有很准确的表达能力。

找一些中国古代的甲骨文、金文来看，不用管看得懂或看不懂，甚至不必管它们是不是文字。只要单纯欣赏那些图像，你就会

祭祀狩猎填朱牛骨刻辞（正反两面） 商 高32.2厘米 宽19.8厘米

河南省安阳县出土 北京中国国家博物馆藏

发现，不需要依靠专家解说，你就可以认识许多字。那些象啊，鹿啊，车子啊，房子啊，雨啊等等，都一一在你眼前显现了。

那是最早的中国绘画罢。

彩陶

我们现在画画，多半是画在纸上。但是，纸是人类相当晚的发明，等我们谈到画在纸上的画，这本书大概已经进行一半了。

前面提到，图像文字是用刀刻在牛骨或者龟甲上的。当然，更早的中国人，用树枝、石头，在土地上画画，也是很普遍的。我们小时候，大概也都有用树枝在地上画画的经验罢。

回忆一下。如果你去过海边，看到海边沙滩平坦得像一张纸，是不是忍不住就会在上面用树枝或指头画画呢?

这些都是最早的绘画，可是，都不一定用笔，也不一定用纸。

有一些最早的中国画，是画在陶器上的。

我们现在吃饭用的碗、盘子，都是陶器演变的。

早在七千年以前，中国人已经知道用泥土来制作器皿了。

他们和我们一样，小时候也许都喜欢捏泥巴。泥土掺水之后会变软，好像一团面。我们用手可以捏塑各种不同的形状。

早期的人类，没有碗。他们喝水、吃东西，就用手。

如果没有杯子或碗，你怎么喝水呢?

试试看，也许你就会用自己的两只手合在一起，利用凹下的部分来盛水罢。

这合在一起的两只手，中间凹下去，像不像一个碗呢?

古代的人，就用这种方法喝了几万年的水。

直到有一天，一个聪明的人，忽然想到要用玩泥巴的泥土捏一个凹下的形状，终于捏成了人类第一个碗。

这个碗是泥土捏的，很软，不小心就损坏了。这个聪明的人捏完以后，丢在一旁，也并不管它。

也许，在一次偶然的火灾里，这只用泥土制作的碗被掩埋，又经过高温煅烧，变得非常坚硬。

聪明的人回来，整理火灾现场，发现了这只碗，觉得很诧异。怎么泥土变得那么坚硬呢？

他又用这只碗盛了水，竟然滴水不漏。这人高兴极了，就召集了许多人来看，开始研究起做陶碗的方法来了。

你吃饭时用的碗就是这样来的。但是，你大概很难想到那么美丽细致的碗竟然是用泥土做的罢？

你的碗上是不是也有一些彩色的小花做装饰呢？

古代的中国人也一样，他们很骄傲自己发明了陶器，觉得陶器是他们珍爱的器皿，就开始在陶器上画画了。

半坡出土的彩陶

中国陕西省西安市的东边有一条浐河。河边半坡有许多古代陶器出土。

半坡的陶器形状非常有趣。

有一种大碗，被称为“钵”。奇怪的是，这个大碗里面画了两条鱼，两个有鱼耳朵的人头。

为什么把画画在碗里呢？我们平常用的碗，装饰图案不是都在外面吗？

有人说，古代没有桌子，碗是放在地上的。人从上面看，只有

[一] 早期的人类，没有碗。他们喝水、吃东西，就用手。
[二] 直到有人想到要用玩泥巴的泥土，捏一个凹下的形状，终于捏成了人类第一个碗。这个碗是泥土捏的，不小心就损坏了。
[三] 也许，在一次偶然的火灾里，这只用泥土制作的碗被掩埋，又经过高温煅烧，变得非常坚硬。
[四] 有人用这只碗盛了水，竟然滴水不漏。这人高兴极了，就召集了许多人来看，开始研究做陶碗的方法。

碗里的画看得见。如果画在碗的外面，反而看不见了。

这是一种说法。正不正确，不知道。

古代人的生活方式，我们已经很不了解，大家只有依靠出土的东西来推测。

这个钵，是用红色的土做的，上面的画用黑色画。

鱼的画法非常有趣。头部是一个三角形；眼睛是一个圆圈加一点，身上的鳞片则用交叉的网格纹来代表；鱼的嘴尖上还有两根须呢。

这样的画法很像我们小时候画的鱼。半坡的中国人，七千年前画画的方法跟我们很相似呢！

这样的钵是用来做什么的呢？

如果钵中盛了饭或者其他食物，不是画的画都看不见了吗？

很多专家都问来问去，没有一定的解答。我们看这上面的画，就好像猜谜一样：七千年前的中国人，究竟在想些什么呢?

半坡出土的彩陶画，也不一定都是画鱼啊，人啊，那些可以认得出形象的画。

有一个钵上画的就只是三角形。正的、倒的三角形图案和一些斜线。

这个钵上的画就是画在外面了。也是用黑色的颜料，涂了一个大三角形，又在大三角形中间留下一块小三角形。

让我们把这一个陶钵当成一张画画的纸。在白纸上，我们可以用三根线组合成一个三角形，如：△；我们也可以用涂黑的面完成一个三角形，如：▲；我们也可以在这张纸上，留下一个三角形，把其他部分都涂黑，如：◙。

好，我们想想看，这一个半坡的陶钵，上面有用“线”画的，有用“面”构成的，也有用“留白”的方法完成的三角形。当时的人已经有了很多不同的画画方法了呢。

彩陶钵 仰韶文化半坡类型
陕西省西安市半坡出土
西安半坡博物馆藏

彩陶三角曲折纹钵 仰韶文化半坡类型

其实你也可以试试看：拿一张纸，用线条，用涂满的面，或者用留白的方法来画画。

中国北方出土的彩陶

半坡以外，中国北方的许多地方，例如，甘肃、河南都出土了许多类似的陶器。这些陶器共同的特色，就是在器皿的表面有彩色的图绘，所以被称为彩陶文化。

有人认为，彩陶文化是和农业有关的。

早期的人类是靠狩猎、畜牧来生活。也就是说，什么地方有水草可以牧羊、牧马，人就迁移到什么地方去。这个时期称为游牧时代。

游牧生活是不固定居住在一个地方的。好像一个人常常搬家，所以不能有太多行李、家具。

陶器是很容易破碎的东西，不适合游牧民族。所以，一般人认为，陶器的发明是和农业有关的。

人类懂得种植稻子、麦子，必须固定在一块土地上住很久。一粒种子种在土里，必须等很久，才会发芽、开花、结果。这种固定的农业生活，使人类开始制作了很多陶器。

彩陶的作品，看起来也是生活比较安定以后才产生的。在农业生活里，有较多的时间；种植稻麦，使人类和泥土有更多的接触，因此陶器就特别发展。

有一件在陕西宝鸡出土的彩陶，我们称它为“双耳壶”。你看，它造型非常特别，像一艘船。壶口非常小，像我们现在所用酱油瓶的瓶口。两边各有一个可以穿绳子的“耳”，所以叫“双耳壶”。我们现在已经看不到这种形状的陶器了。它大概是用来盛装液体或水的罂，因为壶口小，液体不容易洒出来。双耳是为了穿绳

彩陶双耳锯齿网纹壶
仰韶文化半坡类型 陕西省宝鸡市北首岭出土

子，可以提，或者可以悬挂。但是，为什么做成像船的形状，我们就不知道了。

这件“双耳壶”的中央，画了一幅画：是用交叉的直线组合成的一张网，画得很整齐，好像我们用尺打成的格子。有人说，这就是一张渔网，画在一个船形的壶上，象征人们乘船去捕鱼。

鱼是古代中国人很喜欢吃的东西罢。所以，鱼常常被画在彩陶器皿上。

像这种渔网状的方格画，彩陶上用得很多。它们基本上是用直线条交叉组合。你如果注意一下，就会发现，这种图案，在我们日常生活里常常可以看到。例如：地上铺的砖，门上的装饰，铁窗等等，都常常用到呢！

直线和曲线

线条、涂面和留白

中国古代的陶器上，大致可以分成用“直线”画的画，和用

“曲线”画的画两种。

直线用来画三角形、方形、网格等等。直线看起来很整齐，很规矩。我们常常说“方方正正”，其实就是指这种直线画的形状。

直线也可以画成尖锐的星形。这一件江苏省出土的钵，用黑色线条画了一个八角形的星，又用白色涂满，中间留下一块方格。我们前面说的“线条”、“涂面”及“留白”三种方法，它都用到了。

另外，山东省出土的一件彩陶壶，上面的直线和曲线，也都用到了。

曲线画的圆圈在陶器上半部分，下面则是正三角形和倒三角形组成。

直线很整齐，比较安稳。好像我们住的房子，大部分都是直线，看起来非常稳定，风也吹不动，推也推不倒。

可是，相反地，曲线就有流动的感觉。曲线构成的圆形，像玻璃弹珠，像车子的轮子，都是可以滚动的。

古代的中国人是不是也发现了圆形的轮子可以转动的原理呢？

彩陶钵 江苏省邳县大墩子遗址出土
南京博物院藏

彩陶三角形纹壶 山东省泰安县大汶口出土
中国国家博物馆藏

彩陶双耳旋纹瓶
甘肃仰韶文化马家窑类型
甘肃省兰州市杏核台出土
甘肃省博物馆藏

彩陶双耳涡纹瓮
甘肃仰韶文化马家窑类型
甘肃省永靖县三坪出土
中国国家博物馆藏

石头、泥土和花草，各有它们的颜色，都可以拿来做画画的颜料。

我们看到的彩陶壶上，有非常美丽的圆形。

这两件陶壶，都用一个圆点做中心，旁边环绕许多优美的曲线。

有人说，这是古代住在黄河边的人所看到的水波和漩涡。

有人说，这是天上的太阳和星辰的旋转。

有人说，这是鸟的飞翔。

你以为是什么呢?

它们像不像音乐?

一个圆点是一个音符。然后，一条线延长出去，好像一个很长的声音，传到很远很远。

有的曲线又像天上的云。好像云在慢慢地运动。

这是用黑色画的线，再加上红色涂面，然后留出白色的图案。

你发现没有?这些彩陶里，用了很多的黑色和红色。

古代人的颜色是哪里来的呢?

他们没有蜡笔，也没有水彩。

他们发现：一种生锈的铁矿，可以画出红色来；一种含锰的石头，可以画出黑色。他们就拿来用了。

下次你到外面旅行时，不妨注意一下，石头、泥土、花、草都有颜色，都可以做画画的颜料。其实，我们的老祖先就是用这些自然的石头、泥土、花、草，画出美丽的彩陶呢！

黑陶

刻、印、拓

我们现在想到画画，就会想到笔、纸、颜料等等材料。

黑陶饕餮纹壶
商中期（二里岗期） 河南省郑州市出土
中国国家博物馆藏

事实上，材料的变化是很大的。

彩陶上用颜色、用笔来画各种曲线、直线，比较接近我们现在的画。

可是陶器上也有些画不是用色彩画出来的。

在彩陶之后，中国有一段时期做了很多黑色的陶器。

在这些黑陶上面画画，不是很有趣。因此，有人就用竹棍，或者刀子，在上面刻出花纹来。

这种图画，用手摸起来是凹凸不平的。我们前面曾经说过，古代的人用木棍、树枝在沙地上写字、画画，道理也是一样的。

这一件黑陶壶上面，就有刻出来的美丽花纹。这个花纹有人说是“牛”。你找找看，两个方框框是牛的眼睛，上面有角，下面是口鼻，像不像一头牛？

你看这件黑陶壶上的花纹，会不会觉得很熟悉？

你去过故宫博物院吗？

故宫博物院里陈列了很多商朝和周朝的铜器，上面就有类似的图案花纹。

事实上，这种陶器上的花纹，恰好就是铜器花纹的来源呢！

商周

——农业社会对绘画题材的影响

铜器

你看，一件商朝的铜鼎，上面有一圈花纹，也有一个眼睛大大的牛头，是不是很像陶器上的花纹呢？

据说，在很偶然的机会，熔化的铜附着在有花纹的陶器上，等到冷却后，发现铜的表面就印下了陶器的花纹。后来，人们就用这种方法来制作铜器上的花纹了。

中国古代制造铜器的时候，先要做好陶制的“模”、“范”，刻好花纹，然后把烧熔化的铜倒进去，等冷却以后，把外面陶制的“模”、“范”打破，就出现了一个和陶制的“模”、“范”一样的铜器了。

铜鼎
商代早期（公元前1500年）
高54厘米 重153.5公斤
1974年湖北黄陂县盘龙城出土

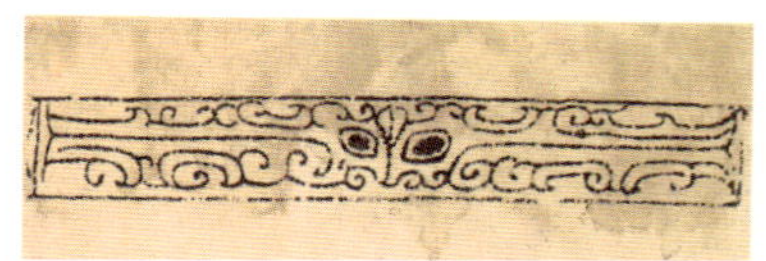

这是由铜鼎上拓下来的，你还认得出牛头和大眼睛吗？

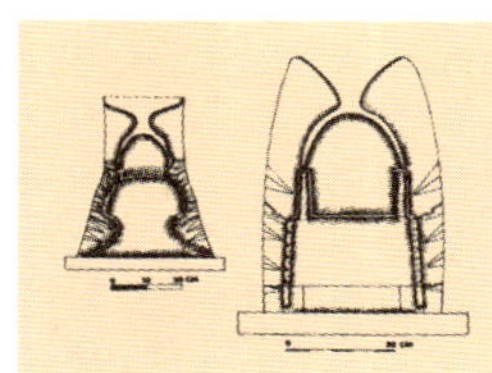

陶模

“模”、“范”，都是制作铜器的工具。

因此，我们现在说一个人是“模范”，就是说：他是标准，我们都要跟他一样好的意思。

现在我们明白了：画画的方法很多，铜器上的画就不用笔，不用色彩，是用模子印出来的。

这种画画的方法，你也可以试一试。

你拿出一个钱币来。

钱币上面有凹凸的图像。你用一张薄一点的纸蒙在钱币上，然后用铅笔在上面轻轻摩擦，就会发现，不一会儿，钱币上的图案就印在纸上了。这种方法，中国人把它叫做“拓印”。

商周铜器上的花纹拓印下来，就是一张黑白线条的图画。你还认得出这里面的牛头和那一对大眼睛吗？它们原来被“刻”在陶器上，后来又“印”在铜器上，然后，又从铜器上“拓”到纸上；“刻”、“印”、“拓”，都是画画的方法，你都可以试一试。中国人在几千年以前都用过了。

动物画——想象力的发挥

商代和周代铜器上有许多不同的花纹。最常见的就是我们前面说的“牛头”。此外，也有鸟、羊、鱼，以及很多看起来十分奇怪的动物。

你下次去故宫博物院，可以注意一下，有些铜器上的动物，又像牛，又像蛇，又像鸟，好像是很多动物加在一起。

不知道是不是古代的中国人喜欢幻想?幻想一条蛇有了角，又长出了翅膀，飞在天上。

在现实生活里，你没有见过蛇有翅膀罢?可是，画画的时候，你当然可以替一条蛇加上翅膀。

你可以画任何你想象的动物，像商朝或周朝的人那样快乐。

你认识的动物有多少种?

鱼？鸟？小狗？鸡？鸭?

动物园里的长颈鹿?狮子?大象?

你试试看把它们画在一起：有大象的鼻子，有长颈鹿的脖子，有鸟的翅膀，那不是更活泼有趣吗?

商朝和周朝的人画了很多很多的动物。他们在铜制的锅子、脸盆、杯子、酒壶上，画满了各式各样的动物。

很多动物甚至是想象出来的。

人们很喜欢动物，他们甚至幻想自己是某一种动物呢!

他们希望自己是一只鸟，有一对翅膀，可以自由自在地在天上飞。

他们有时候希望自己是一只大象，力气非常大，走在森林中，让其他动物看了都害怕。

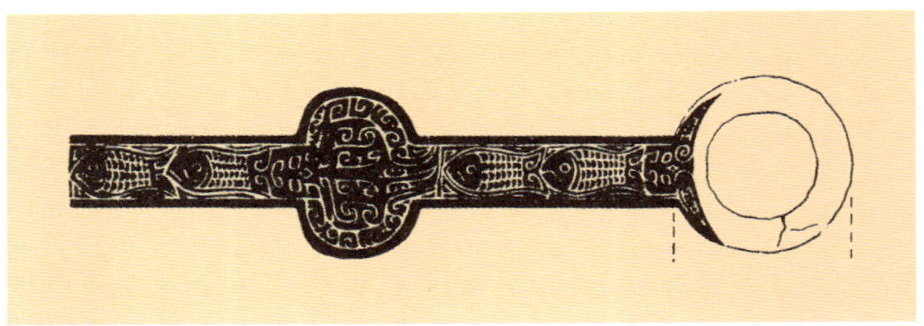

鱼纹

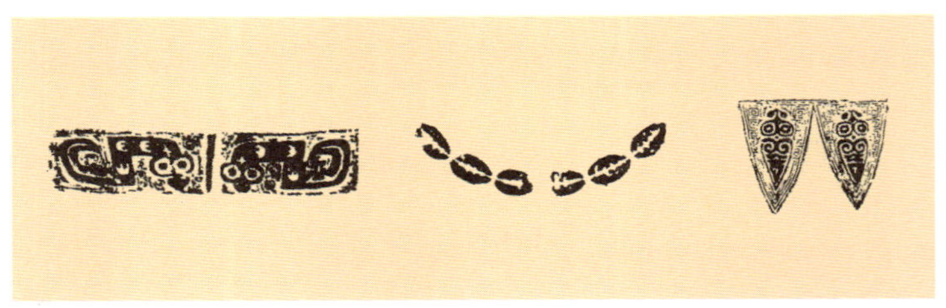

蚕纹　贝纹　蝉纹

鸟纹

动物纹 夏、周之际

他们有时候也希望自己是一条鱼，可以在水里游来游去。

所以，有很长一段时间，他们画来画去，画的都是动物。

他们在画动物画腻了之后，才开始画人。

人物画

周朝的后期，也许农业稳定了，由于人们长期住在一个固定的地方，有完整的家庭制度，人与人的关系越来越密切，绘画的主题也从比较原始的动物转变为人了。我们小时候画画，一开始，常常画的就是爸爸妈妈，大概也是因为比较熟悉的关系罢。

人的绘画题材，常常由围绕在自己身边最熟悉的东西中选取。

所以，到了周朝后期，我们叫做“春秋”、“战国”的时代，动物画就被人物画取代了。

铜器上出现的不再是牛、羊等动物的形象，而是一群一群的人。

这些人，有的拿着刀、剑，在战争中厮杀打斗；有的拿着乐器，在宴会中吹奏动听的乐曲。

在战国的一件铜镜上，可以看到一个骑马的武士，右手拿着短刀刺杀一头野兽的图像。

这个铜镜上的人和野兽，是用黄金和白银镶嵌在铜片上做成的。这也是一种很奇特的“画画”方法罢。所以，你可以看见，生绿锈的青铜镜上，有黄色、白色的圆点和细线组合成的画。黄色的部分是黄金嵌进去的部分，白色的部分是白银：利用不同颜色的金属拼成一个画面。

你也可以试试看，用颜色不同的豆子，例如：黄豆、红豆、绿豆，粘在一张纸上，排列成一个画面，也会很好看呢！

从这件铜器上的人物来看，我们也会发现，春秋战国时代，人

铜壶（纹饰）
战国初期（公元前550－前450年）
高40厘米 重71公斤 1965年四川成都出土

“春秋战国”时代，铜器表面的装饰图案，不再只是动物，而是一群一群的人物造型了。

铜镜（背面的狩猎纹）
战国［楚（公元前550－前450年）］

物和动物的动作也都比较活泼了。

在商周的铜器上，我们看到的牛、羊等兽面，大多是正面的，一对大眼睛，两边对称，没有太多表情。可是，在这件铜器上，人物骑在马上，手执刀剑，有很生动的姿态；野兽也张牙舞爪，表现出搏斗的动作。

人类画画也是一点一点进步的。

你尝试过画一些有动作的画吗?例如说：一个运动场上的跳高选手或者赛跑选手，行进速度很快，身体的动作变化很大，你如何在一张画中表现出来呢?

春秋战国

——绘画观念和技巧的大进步

春秋战国时期，中国的绘画，不但画了许多与人的生活有关的作品，同时，也开始表现人物的表情与动态。这实在是一个很大的进步。

一个民族的历史，也和一个个人的成长一样，要经过婴儿、幼儿的阶段，慢慢成长为少年、成人。

春秋战国时代的中国美术是很受大家赞美的，好像一个小孩子已长大成美丽的少年了，无论在观念还是技术上，都有了很大的进步。

那个时期，中国分裂成许多不同的小国家，国家与国家之间常常有战争。战争虽然很残酷，但是也使国家与国家之间产生了竞争。在那一个时期，中国出现很多伟大的思想家，例如：孔子、老子、庄子、墨子、管子等等。他们对事情都有不同的看法，他们的看法当然也影响了艺术家。因此，那一个时期，艺术的表现也特别自由活泼。

所以，画画不只是手上的技术要好，更重要的，是要读很多的书，有思考的能力。

春秋战国时代，思想家、哲学家特别多，被称为“百家争鸣”

[左图] **人物御龙帛画** 战国 纵37.5厘米 横28厘米
1973年湖南省长沙市子弹库一号墓出土
湖南省博物馆藏
[右图] **人物龙凤帛画** 战国 纵31.2厘米 横23.2厘米
1949年湖南省长沙市陈家大山出土
湖南省博物馆藏

这是目前所知，中国最早的人物画。

的时代。事实上，艺术方面也同样有辉煌的成绩呢。

帛画

我们现在一般的画都是用笔画在纸上或布上的。中国目前最早画在布上的画，也是春秋战国时代留下来的，就是在湖南长沙（古代楚国地方）发现的“帛画”。

写实肖像画

帛画的主要题材也是人像。

有一位头上戴了高冠的男子，身上佩了剑，侧身站立在一艘龙舟上。舟尾有一只鹤，水中有一条鲤鱼。男子的头顶还有一张伞盖，为他遮蔽太阳。

这张画中的人，全部是用毛笔线条勾勒出来的。

还有一张帛画，画的是女子，穿着长裙，衣袖非常宽大。女子的上方，还有一只凤鸟，一只夔龙。

这些帛画都是在古代的坟墓中发现的。有人认为，画中的人像就是坟墓中的主人。如果确实是这样的话，这两幅帛画就类似我们现在的“肖像画”了。

你画过自己的像吗?或者，你画过你的爸爸、妈妈的像吗?

春秋战国时代，有一类美术非常注意写实，也就是说，如果画人物的肖像，就要画得很像。

所以，画“肖像画”是一种很大的挑战。你画出来的人物肖像，别人看了，如果一下就认出画的是谁，我想，你一定会很得意的罢。

春秋战国时代，有一位哲学家名叫韩非，他曾经说过：“画鬼魅易，画犬马难。”

他为什么觉得画鬼怪比较容易，画狗画马比较难呢?

主要就是因为当时中国画很重视写实。狗和马都是生活中可以看见的，画得不像，就要受别人批评，所以很难画得好。可是，鬼魅是想象的，谁也不知道长得什么样子，所以画家可以凭空捏造，高兴怎么画就怎么画。

韩非的话说明了春秋战国时代中国画的写实风格。

战国时代的许多国家，后来被秦国统一了，秦代的绘画，我们现在找不到。但是，秦始皇死后坟墓里陪葬的军士塑像，的确是非常写实的。

这些泥土制作的军士塑像，都非常高大魁梧。他们的服装、头发，都随着不同的军种、阶级而有所不同。他们脸上细部的表情也做得惟妙惟肖，像真人一样。这些塑像的确是中国“肖像”艺术的典范之作。

画画当然不一定非写实不可，想象的画也很难画。可是，画你身边认识的人，是一种很有趣的挑战。你也可以因此训练自己观察的能力和准确掌握形象的能力。

跪射武士俑
秦　高120厘米

武士俑（正背两面）
秦　高183厘米
陕西省临潼县秦始皇陵东侧一号兵马俑坑出土

在秦始皇墓中出土的军士塑像都是非常写实的。

汉

—— 绘画的多样化以及书画同源

帛画

我们提到的“帛画”是在丝布上画的画，不是画在纸上的。中国古代，因为在衣服上要染绘出很多不同的图样，因此发展出绘画。所以中国古代文字中的“绘”字，是“丝”字偏旁，指的就是用颜料在丝上设色的意思。

现在人很少在衣服上画画，所以“绘”这个字就被借来指在纸上画画了。

写实和想象的结合

在汉朝的一个坟墓里，我们还找到了一件画了图画的衣服呢！

这件衣服形状的帛画可以悬挂。上面比较宽，有张开的两个袖管，像一个人的身体。

这张帛画，可以分成三层来看。最上面的部分是画天界，所以，右边有一个圆的太阳。古代中国人相信太阳中有一只金乌，所以太阳里也画了一只鸟。左边有一个弯曲的月亮，上面画了一只像青蛙的蟾蜍，这是代表月亮的动物。这一部分里还有一些坐着说话的仙人，一

彩绘帛画（非衣）及局部
西汉 纵205厘米 横（上）92厘米（下）47.7 厘米
1972年 湖南省长沙市马王堆一号墓出土
湖南省博物馆藏

汉代的人们，把天、地、人三个世界画在一幅画上。

只飞在天上的龙。

中间的部分画的是人间，也就是人的世界。我们看到一个侧面站立的老太太。她的后面有侍从仆人；她的前面有人跪在地上，似乎在向她报告什么事。

下面的一部分是地界，有一个大力士双手上举，撑着大地。他的四周是许多奇怪的鸟兽，有人头鸟，有鳌鱼，有像袋鼠一样的东西，似乎是一个奇幻的神话世界。

这件汉朝的帛画，把写实和幻想都融合在一起了。

人有一个现实的“人间”，也就是我们生活的地方。在这里，一切都是真实的，所以用写实的方法来画。

可是“天界”和“地界”都是人幻想出来的，没有人看过天堂，也没有人看过地狱。因此，画家就可以充分发挥想象的能力，创造出各种活泼有趣的造型。

可见，写实的画和幻想的画，并不冲突，甚至还可以结合起来，画成这样一幅杰作呢！

壁画

汉代是中国历史上一个很重要的朝代。它的疆域非常辽阔，而且已经开始跟西域、印度，甚至今天的阿拉伯国家和欧洲国家有来往。

有名的“丝绸之路”，就是汉代通往西方的一条道路。汉代的丝织品，经由这个孔道，传到了西方；西方的宗教、艺术、农产品，也由这个孔道传进了中国。

我们甚至在内蒙古的和林格尔地方，也发现了汉代的壁画呢！

壁画是画在墙壁上的画。现代的房子，墙上很少画画，多半是白

出行图壁画（摹本）　东汉　高132厘米　宽260厘米
1972年内蒙古呼和浩特南，和林格尔东南四十公里的新店子出土

［左图］**庄园图壁画**（摹本）
东汉 高191厘米 宽300厘米
1972年内蒙古呼和浩特南，和林格尔东南四十公里的新店子出土
［右图］**牧马图壁画**（摹本）局部
东汉 高137厘米 宽201厘米
1972年内蒙古呼和浩特南，和林格尔东南四十公里的新店子出土

汉代坟墓中的壁画，画的是墓主人一生的生活。

墙。如果你拿笔在墙上乱涂乱画，也许还要挨母亲骂呢！

但是，也有人在墙上贴了有颜色、有花样的壁纸，用来装饰墙壁。这就很类似古代壁画的作用了。

墓室壁画的人、事、物

内蒙古和林格尔的东汉时期壁画，也是画在坟墓的壁上的。

这座坟墓相当大。因为墓中的主人以前担任过重要的职位，所以墙壁上画了许多他生前做官时，乘坐马车出巡的情景。

马匹画得非常漂亮，肥壮而且雄健，四蹄飞奔，头上还有扬起的马鬃。

汉朝有名的皇帝汉武帝，为了取得西域最雄健的马，还和当时的匈奴族发生许多次战争呢！

乐舞百战图壁画及局部（摹本）
东汉 高88厘米 宽116厘米
1972年内蒙古呼和浩特南，和林格尔东南四十公里的新店子出土

马在汉代也就象征了军力的强大。

这个墓中主人大概是汉帝国派驻在边疆的政治和军事大员，所以他的坟墓壁画上，乘坐着有篷顶的马车，四周排满整齐的军队，声势浩大，看起来真是威风十足呢！

这个墓中人，是一个军事将领；不仅拥有为数众多的军队、马匹，而且他也拥有广大的田地，有许多农业和畜牧的生产，是一个富有的地主呢！

壁画上描写了他庄园中农民工作的情形：有层层的山丘，丘陵上种植了树木，有许多人穿梭在树间，似乎在收获。

山丘的画法很特别，是用毛笔很熟练地在墙壁上画下起伏的线条。

汉代的时候，毛笔已经很发达。

因为毛笔是用柔软的毛做成的，和我们现在用的硬笔不一样，所以用它来写字画画，可以忽粗忽细，做出很多变化。

你写毛笔字的时候，有没有感觉到毛笔跟你用的铅笔、圆珠笔不同呢？

这幅壁画中的线条，就是用很标准的毛笔线条所造成的效果，看起来很有变化，富于弹性，有很优美的节奏。

这个墓中人的一生当中，有时候奔驰在战场上，带领军队作战，保卫疆土；有时候回到自己的庄园，监督大伙儿采桑、种植五谷，从事农业的生产。

当然，他也有休息的时刻。有时，他就邀集了宾客，欣赏各种音乐、舞蹈的表演。

壁画上有一部分正是表现他的娱乐生活。中央立了一面大鼓，两边各有一人，手持鼓槌击鼓。就好像咚咚的鼓声，揭开了宴会的序幕，催促各种技艺表演的登场。

表演中有耍弄飞刀的；有在高台上翻身倒立的；也有手上轮流抛掷五个球的，技术都非常好。

四周有音乐家在吹箫，吹笙；也有观赏的宾客，一面看表演，一面喝酒。

这是一幅非常有趣的画，表现了各种活泼生动的生活内容。

我们的生活其实也都很丰富，很值得一一画下来，变成一种记录呢。

你有没有尝试过用绘画来画自己的一天，或者一个星期内做的事情呢？

学校上课的情形，街上的汽车，和朋友去看电影、逛公园的情形，我想，画起来一定也像这件东汉的壁画一样精彩。

砖画（画像砖）

汉代留下的壁画资料并不多，但是，刻在石头或砖上的画却非常多，可以看到汉代绘画的风格和技法。

画像砖是在一块砖上刻出图像来。譬如说，成都出土的一块东汉画像砖，上面就刻出了一些建筑，左边是一间有围墙的房舍，右边是一座高楼。

这个画像砖，用纸蒙在上面，再用墨拍打，凸出的部分就会留下痕迹，也就是我们前面说过的“拓本”。

我们可以比较一下原来的画像砖和拓本。一个画像砖，可以拓好几张拓本。就像图章一样，同一个图章，可以在纸上印出好几个一样的图像来。这就是现代人所说的“版画”的来源呢！

社会生活的景象

汉代的画像砖，很丰富地表现了当时社会生活的景象。

汉代是一个重视农业的时代，因此，农耕、收割、打猎，都常常出现在画像砖上。

常见的一个场面是把打猎和收割结合在一起。上面一部分是打猎；左侧树下有两个人拉弓射箭，天上有四散飞去的野鸟。

下面一部分是在田中工作的农人，有人高举镰刀在收割，有人弯腰用手去拔。

画像砖中也有在田中播种的画面：田里阡陌纵横，和我们现在的田地很相似呢！

有一件画像砖，和我们在内蒙古和林格尔壁画上看到的宴乐部分非常像。

[左上图] **弋射、收获画像砖**
东汉 成都市博物馆藏
[右上图] **跳丸盘鼓叠案画像砖**
东汉 四川省博物馆藏

[左下图] **播种画像砖**（拓本）东汉 高24厘米 宽39.5厘米
1955年四川省德阳县出土 四川省博物馆藏
[右下图] **说唱陶俑** 东汉 高67厘米 宽26厘米 四川省博物馆藏

汉代的画像砖，表现了生活的丰富性。

你看，一个人在一层一层摞起来的高台上倒立呢，这真是一种特技。中间是一个在跳舞的女子，我们现在还常说“长袖善舞”，你看她的袖子是不是很长？右下角就是一个正在抛掷五个圆球的艺人。这种游戏，汉代叫做“跳丸”。

这种“跳丸”的游戏在汉代一定是很流行的娱乐，因为我们在许多画面上都看到它。

汉代人的娱乐生活中充满了音乐、舞蹈、杂耍。画家和艺术家也很喜欢以这些活动为题材。有一件有趣的泥塑人像，就是表现打鼓说唱的表情，滑稽而且充满了动感，真是可爱极了。

[左上图] **歌舞杂技画像砖**
东汉 高40厘米 宽46厘米
厚5.3厘米 中国国家博物馆藏
[左下图] **制盐场画像砖**（拓本）
东汉 高41.2厘米 宽46.5厘米
厚6厘米 1953年四川省成都市
场子山出土 中国国家博物馆藏
[右上图] **邸宅画像砖**
东汉 高40厘米 成都市博物馆藏
[右下图] **邸宅画像砖**（拓本）

汉代的画像砖非常完整地表现了当时人的生活形貌。我们从目前出土的画像砖中，可以看到农耕、狩猎、建筑、打井、宴乐等各种不同题材的作品。

这些画像砖也有特别表现地方特色的。例如四川多井盐，在山区打井取盐是普遍的景象，因此，四川的画像砖中就有许多是以盐井为题材的。

我们在盐井的画面上，可以看到艺术家非常巧妙地运用透明处理的方法，把工人在地下分三层打井的工作情形，都表现了出来。

这件盐井的作品，非常写实，是汉代四川地区的生活实录，它的表现手法充分地发挥了想象力。工人在地面下工作，原本是看不见的景象，画家却运用自由表现的手法，让它呈现在观赏者的面前了。

你有没有试过画一些在日常生活中不容易表现的题材？例如：夜晚黑暗中的活动，开得很快的车子，树根在泥土下寻找水源等等。这些例子好像都很难表现。黑暗中什么也看不见！画中如何表现速度？树根在泥土下，根本看不到啊！

是的，画画有时也会碰到很多困难，但是，看了汉代盐井这件作品，我们就会有信心，再困难的题材也都可以表现出来了。画画上对这种困难的突破，也正好证明了解决困难的能力，是因需要而提升的。

神话

汉代一般表现当时生活的画像砖大都非常写实。古代没有摄影照片，但是透过这些图画，好像也可以看见汉代人的生活情形。

有趣的是，除了这些现实的生活记录以外，汉代人也有非常丰富活泼的宗教生活。

宗教中的神仙常常是人脑中的幻想，它一方面是人对大自然的崇拜敬畏，一方面也是人本身希望把自己幻想为更有能力的人。

例如，人一直羡慕鸟类可以在天上飞翔，所以很多民族都会幻想自己长出了翅膀，翱翔在天空。

汉代的画像砖中，就有在人的背部装上翅膀的图像，这很像西方基督教神话中的天使。不知道是不是西方当时的画影响了中国，所以中国的神仙也长出翅膀？

神怪画像石（拓本）东汉

灵界图画像石（拓本） 东汉 山东省嘉祥县武梁祠出土

和“飞”这个动作可以联想在一起的，除了鸟类的翅膀之外，还有天上飘飞的云。

人类也常常幻想自己驾着一片云在天上飞来飞去呢！

汉代画像砖中飞在天上的神仙，除了背上长出了翅膀之外，也有在脚部画上云纹的，表示他们都高高飞在云端。

不但人可以飞翔，连动物也可以飞翔，所以汉代画像砖上，可以看到人骑在鱼的身上，飞翔于云端的景象。

汉代人也喜欢把动物和人结合在一起，变造成人头鸟身，或者人头蛇身的造型。

人头鸟身是月神。那是一只飞在空中的大鸟，肚子中央有一个代表月亮的圆形，月亮中有一只青蛙形状的蟾蜍，还有一棵桂树。

连中国人的祖先伏羲、女娲，在汉代画像砖上也成了人身蛇尾的造型。他们一男一女，结为夫妻，生了孩子，产生了人类。你看，那个双手攀着爸爸妈妈的小孩子，也是人身蛇尾呢！

这种把人和动物结合在一起的造型，大概是因为人很希望借此得到动物的神力罢？人类常常把自己幻想成某一种动物，这是从很早的古代传下来的习惯。

一直到现在，这种习惯还保留在我们生活中。例如，中国人都有

灵界图画像石（拓本）局部

汉代的神仙，也长有可以飞的翅膀。

伏羲、女娲画像石（拓本）
东汉 山东省嘉祥县武梁祠出土

天吴与三身国人画像石（拓本）
东汉 山东省嘉祥县武梁祠出土

月神画像砖 东汉 高28.5厘米 宽48厘米 四川省出土

生肖，也就是根据自己在哪一年生的，断定为属牛，属马或属虎。

你是属什么的呢?你能够想象把自己和自己的生肖结合起来画成一幅画吗？这不但要有写实的能力，也要有丰富的想象力呢!

汉代画像砖中还有一个动物长出八个人头的造型；也有两头尾部相连的动物，却各有三个人身的。真是千奇百怪，比我们现在看的卡通片还要神奇。

所以，画画可以满足和启发我们的想象力、创造力，表现许多在现实生活中不存在的景象。一般人常说：科学的发明是“无中生有”。其实，绘画也一样是“无中生有”。

人类的文明进步，大抵是从“无”到“有”。想从“无”到“有”，就必须发挥想象力和创造力。这一点，神话和绘画都有很大的贡献。

漆器

汉代和绘画有关的艺术非常多。

我们在前面看到画在布绢上的“帛画”，画在墙壁上的“壁画”，刻在砖石上的“画像砖”等。

因为早期人类对绘画的看法不像我们今天这么狭隘，所以我们也必须扩大我们对绘画的视野，才会了解，原来汉代的中国人，在绘画上运用的材料是那样丰富。

有一种和绘画有很密切关系的艺术，早在春秋战国就很发达，到了汉代更是蓬勃发展，有更高的成就，那就是漆器。

漆就是油漆，我们今天的生活里常常用到它。大部分家里的家具，就都是油漆过的。

中国早期的漆器，最有名的是南方的楚国。很多出土的木雕人像、怪兽、酒杯，都是上漆的。

漆的颜色主要是黑、红两色。

也有人认为：原来颜色比较多，只因为年代久远，其他颜色褪掉，只剩下黑、红两色了。

漆器的颜料和绘画的颜料不完全相同，但是，要用漆在木制品上彩绘，使用的工具也是毛笔。

因此，线条、造型就必然和绘画互相影响了。

漆木俑 东周（楚）
约公元前300年左右
美国纽约大都会美术馆藏

彩漆镇墓兽 战国（楚）
高128厘米
河南信阳楚墓出土

战国时代遗留下来的楚国坟墓中，也出土很多木雕的怪兽：大眼睛，头上有角，吐出很长的舌头，全身布满鲜艳的彩漆。

因为大自然中是充满各种颜色的，所以，画画的人，也很希望在他的画里表现大自然中的丰富色彩。

古代的中国人，发现了很多美丽的彩色石头，他们就用这些石头镶嵌成图案。

他们又发现了漆，知道漆和颜料混合，色彩更为固定，不容易剥蚀。

他们又用颜料去染丝的衣料，使我们穿的衣服也充满了色彩。

大自然创造了各种色彩，人类也创造了各种色彩。

汉朝人为了染织，从植物和矿物里找到各种不同的颜料，又加以混合，创造出丰富的色彩世界。这些色彩当然也被画家们一一借用了。

彩绘陶

线条和色彩

汉代也用颜色来画陶器，称为“彩绘陶”。一件画满云纹的汉代陶壶，除了用墨色的线条细细勾勒出云纹之外，也用朱红色彩绘，衬托出云纹的流动。

还有一件东汉的酒尊也布满了云纹，可是彩绘的色彩更为丰富，虽然年代久远，有些斑驳了，可是还可以看出朱红、石绿、浅紫等灿烂的色彩。

汉代用陶制作的人像上也常施彩绘。陕西一个叫杨家湾的地方，出土了许多陶制人像，衣服都上彩，手上拿着盾牌的军士，连盾牌上也用朱红色画了图样。

我们今天谈的绘画，基本上有两个不可少的要素，一个是线条，一个是色彩。线条用来勾勒轮廓，色彩用来涂填空间。

在汉代的绘画中，这两种要素都被重视。可是，在长久的年代剥蚀中，颜色比墨线画的线条容易消失。

许多原来色彩艳丽的彩绘陶、画像砖、漆制木雕人像等，颜色都剥蚀了，只剩下线条勾勒出的造型。

有一件木制彩绘的汉代作品，雕刻两个男子相对下棋的样子。彩绘的部分脱落了，只留下一些线条的痕迹。

另一件画像砖，原来可能是施彩绘

灰陶加彩云气纹酒尊
东汉（公元25－220年）

灰陶加彩兵马俑群
西汉　高48－51.5厘米
陕西省咸阳市杨家湾出土
咸阳市博物馆藏

木制六博俑
汉　木俑　分别高28厘米、29厘米
1972年甘肃武威磨咀子出土

的，也只剩下了线条。

这件画像砖现在藏在美国的波士顿美术馆，很受重视，因为从这个画幅中可以看出中国汉代艺术中线条的生动有力。

由色彩走入线条——毛笔勾勒

我们前面已经谈过，中国人用的毛笔，可以说是全世界最柔软、最有表现力的绘画工具。当色彩消失之后，中国绘画的线条一样可以使画面充满动态，空间的层次也一样十分活泼。这些粗细不一，有音乐节奏感的线条，使画面上两个交谈男子的表情丰富，栩栩如生。

因为这种工具的特质，所以中国在汉代以后的绘画，都大量向线条发展，而不那么重视色彩。

这种完全以线条勾勒出来的绘画，变成了中国绘画最大的特点。

也许是因为毛笔的关系，我们看到汉代留下的绘画资料里，特别具有表现流动线条的兴趣。

灰陶加彩云气纹壶 东汉

黑地彩绘棺 局部 西汉
高114厘米 长256厘米 宽118厘米
1972年湖南省长沙市马王堆一号汉墓出土
湖南省博物馆藏

朱地彩绘棺 局部 西汉
高89厘米 长230厘米 宽92厘米
1972年湖南省长沙市马王堆一号墓出土
湖南省博物馆藏

马王堆出土的棺木上，就有不同的彩绘，色彩、图像都不完全相同；可是，都同样具备云气流动的蜿蜒之美。

如果你拿毛笔来画画，不妨也体会一下，当柔软的笔锋画过纸张时，因为轻重不同，线条留下的痕迹就十分富于弹性。

我们常常用“龙飞凤舞”，或者“天马行空”来形容中国线条的美。在马王堆棺木的彩绘上，我们恰好可以看到两匹腾跃的天马，飞翔在一片云纹之中。另外还有一件彩绘，以黑色为衬底，上面更是一片迅捷如游龙的云纹，云纹四周还用细的线条来辅助，更加强了画面的动感和速度感。

隶书

书画同源

其他的民族，讨论绘画，很少拿来和他们的文字比较。而我们在这本书一开始，讨论的就是文字。

我们强调“书画同源”，是因为中国文字是以象形开始，也就是从绘画的图像开始的。

可是，中国的象形字，经过上千年的演变，到了汉朝，已经不再“象形”了。

例如，“象”这个字，和我们开始讨论的象形字的“ ”已大大不同了。

但是，文字还是和绘画有很密切的关系。

为什么呢?

主要的原因还是因为中国人写字和绘画用的是同一种工具——毛笔。

毛笔的妙用

中国的毛笔到了秦汉时代有了很大的进步，对于毛的选择，笔管的处理，把毫毛塞入笔管的方法，都很讲究，完成了尖圆锥形的毛笔形态。

你有没有比较过，中国的毛笔和你用来画水彩画的水彩笔，有什么不同?

西方传来的水彩笔其实也是用动物的毛制作的，也可以叫“毛笔”。但是，中国的毛笔，经过秦汉时代的改良之后，不再是一个像水彩笔一样的平板刷子。它把毛一根一根，环绕一个圆心排列成圈，这样，毛笔就变成我们今天使用的样子，前端形成了一个尖的“锋”。

你听过“中锋”这个名称吗?很多人说，书法写得好，要懂得用“中锋”。用“中锋”就是把毛笔端正地立起来，使毛笔最尖端的“锋”和纸面接触。因为“中锋”的使用，中国书法的线条开始发生了变化。

很值得庆幸，我们现在还发现了很多汉朝人写在竹片和木片上的字。

你可以仔细看看，汉朝人用“中锋”写出的字，真的好像画

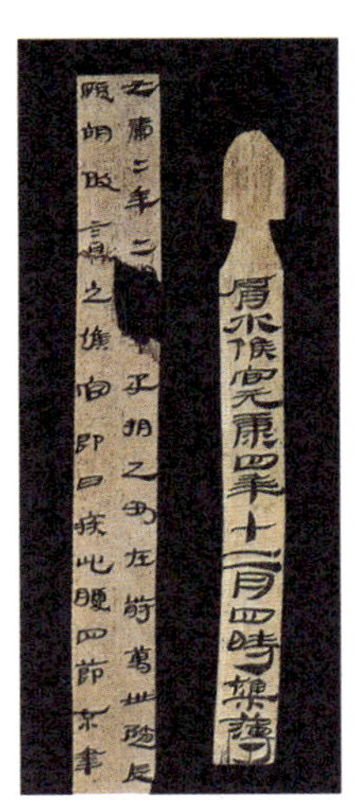

木简 东汉 1972年甘肃居延出土

汉代的人用毛笔画出了美丽的线条。

画一样。

如果是一个水平的线条，例如“一”这个字。他们开始的时候，常常先让毛笔在竹片上停一停，所以墨汁就在竹片上留下一个圆点，叫做“蚕头”。然后，用很端正的姿态，把笔锋从左向右移动。到了结尾的时候，毛笔再轻轻往上提，用笔尖收出一个美丽飞起的尾巴，像鸟的尾羽一样，被称为“雁尾”。

所以，汉代的人用毛笔写字简直像画画一样。又因为每一根线条里都有许多轻、重、快、慢的变化，所以也像音乐一样。

汉代的书法叫做“隶书”，现在有许多已经成为我们写字的范本。例如，《礼器碑》、《乙瑛碑》、《曹全碑》等等。

这些碑多半是刻在石头上的，所以有时候看不出线条的写法。你不妨找一找写在竹片和木片上的汉代书法来看，你就会了解，这种写字的方法，对汉朝人的绘画有多么大的影响了。

礼器碑 局部 东汉

魏晋

——“屯垦”制度下的人民生活记录画

汉朝结束以后，中国进入一个分裂的时代。北方有曹操、曹丕建立的魏国，四川有刘备的蜀国，南方是孙权的吴国，这就是我们所说的“三国”时代。

三国的时间并不长，大约前后五十年，司马炎又统一了中国，改国号为“晋”。

壁画（砖壁画）

嘉峪关古墓壁画

魏晋时代的绘画资料，来自1972年在甘肃省嘉峪关附近八座古墓中出土的大量壁画。

这些壁画又称为“砖壁画”，是在一块一块砌造墙壁的砖上彩绘的。所以，常常以一块砖做一个单元来描绘一件事。目前保留的砖壁画，总共有六百多幅。

甘肃嘉峪关正好就在汉代通往西方的丝路上。从汉代开始，为了防御北方游牧民族的入侵，在这一带施行了“屯垦”制度。也就是派军队

屯垦图砖画 魏晋 高66厘米 宽101厘米
1972年甘肃省嘉峪关戈壁滩出土

营垒图砖画 魏晋 高66厘米 宽102厘米
1972年甘肃省嘉峪关戈壁滩出土

这幅壁画，表现了边疆地区的屯田生活。

在这一带驻扎，一方面负责防卫边疆，另一方面，也自己畜牧、耕田。

这种“屯垦制”（或称“屯田制”）,一直到魏晋时代还在继续实行。

所以，在出土的砖壁画中，我们可以看到用几十块砖连成的大壁画，主题正是描写“屯垦”与“营垒”。

· 大壁画——“屯垦”和“营垒” ·

“屯垦”一幅，上半部有两列兵士，手上都拿着长矛和盾牌，有人击鼓引导，也有人骑马持剑，似乎是兵士的长官。下半部则描绘有两个人在种田耕地。

兵士同时也从事农耕，这正好符合了汉代到魏晋时，中国边疆的“兵农合一”政策。用当时的话来说，就是“出战入耕”，有战争时去打仗，没有战争时就在家里耕田。

“营垒”一幅和“屯垦”是相关的，其中描写军营的驻扎，有许多营帐，军旗飘扬。帐内似乎还有司令官驻守，两旁有侍卫。

绘画的资料有时竟反映了当时的历史。有关汉代、魏、晋的“屯田”，我们在书中读到，不见得十分了解，但是看过甘肃嘉峪关的壁画，就一目了然了。

·小壁画——“牧马”、“牧牛”、“采桑”、“牛耕”、“扬场”、“烫鸡”、“持锤杀牛”·

甘肃嘉峪关的魏晋砖壁画，除了大幅的“屯垦”、“营垒”之外，最精彩的部分，是有两百多幅描写民间生活内容的小画。

每一块砖一个单元，描写各式各样的生活景象。

有以畜牧为对象的“牧马”、“牧羊”，也有为了养蚕取丝的“采桑”，也有种植五谷的“牛耕”、“扬场”，也有宴乐宾客时的“烫鸡”、“持锤杀牛”。

我们把这两百多幅小画组合在一起，几乎就是一部魏晋时代中国西北地区人民生活的纪录片呢！

这些绘画，线条非常活泼，完全像汉代竹简上书法的线条。

“牛耕”的一幅，右手持犁的男子，左手扬鞭，前面两头牛拖着木犁。牛一黑一白，表现了前后的层次。

我们可以注意一下：持犁男子右手中的绳子，是用下笔快速的两三笔线条画出的，熟练而且流动性极强，这恰好是中国书法线条的特色。

“采桑”的桑树画法非常自由。女子的发型和短衫，据说是当时边疆少数民族的服装。这个地区，在魏晋时代是汉族与北方民族杂居的地方，所以服装及生活习惯上自然比较复杂。

甘肃嘉峪关的壁画，色彩用法也很特别。我们看到，一种朱红色的颜料在很多幅画面中出现。这些朱红色，似乎是要表现衣服上的色彩。可是，因为笔触自由而活泼，看来很写意，并不是仔细谨慎的涂抹，所以，色彩和线条之间，若即若离，特别有儿童画的朴拙趣味。

牛耕图砖画 魏晋 高17厘米 宽36厘米 1972年甘肃省嘉峪关戈壁滩出土

采桑图砖画 魏晋 高17厘米，宽29厘米 1972年甘肃省嘉峪关戈壁滩出土

扬场图砖画 魏晋 高17厘米 宽36厘米 1972年甘肃嘉峪关戈壁滩出土

烫鸡图砖画 魏晋 高17厘米 宽36厘米 1972年甘肃省嘉峪关戈壁滩出土

“持锤杀牛”一幅，一个男子，右手牵着一头牛，左手持锤。男子扭头，似乎有点可怜这头牛。

“扬场”却是现在一般人不太了解的景象了。凡是农耕收获之后，收割的五谷和杂草、废料混杂在一起，为了要把两者分开，便用耙子扬起五谷，利用风力把较轻的杂草吹走，剩下的就是所要的谷粒了。

我们看到一个男子正用耙把谷类举起。这种景象，在台湾地区的乡间农村，有时还可以看到。但是，对城市里的人而言，就很陌生了。

把生活中各种细节一一用绘画表现出来，这是汉代绘画的特色。到了魏晋，虽然是在边疆地区的甘肃，这种传统还是在继续。

甘肃嘉峪关的壁画，不但是非常珍贵的绘画资料，也是研究魏晋时代一般百姓生活的可贵图像呢!

东晋

——“春蚕吐丝描”画出的贵族和文人生活

司马炎建立的晋朝，后来因为被北方几个少数民族联合进攻而灭亡了。但是，晋朝残余的力量迁到南方，定都金陵，也就是今天的南京，在历史上称为东晋。

东晋时期，北方被许多外来的少数民族占据，汉族的文化大都被破坏。

许多原来居住在北方的汉人，避难到南方。他们保有传统的文化，重视教育，也产生了很多优秀的文学家、书法家和画家。

从东晋开始，汉人在南方建立了宋、齐、梁、陈四个朝代。文化的形式和北方有了很大的差距。

砖画

“竹林七贤、荣启期”砖画

我们现在介绍一件非常重要的东晋砖画——“竹林七贤、荣启期”。

“竹林七贤”这个名词你听过吗?他们是七位魏晋时期的文人，

“竹林七贤、荣启期”砖画 东晋 纵88厘米 横240厘米
1960年江苏省南京市西善桥东晋墓出土

在东晋的时代，文人潇洒自在的姿态，逐渐变成了中国绘画的主题。

也就是：阮籍、嵇康、王戎、山涛、向秀、刘伶、阮咸。

这七个人，都会写诗、弹琴、唱歌，喜欢过无拘无束的生活。

他们又都喜欢大自然，喜欢在山水清幽的竹林里游玩。他们也喜欢喝酒，喝醉了酒，大声唱歌，或脱去了衣服，赤身裸体，手舞足蹈。他们大都读过很多书，有艺术的天分，但是，不喜欢做官，不喜欢和虚伪的人来往。

这一幅美丽的砖画，是在南京的一座墓中发现的。南京是当时东晋的首都。画是刻在砖上的。你从图片上还可以看出一块一块砖拼起来的痕迹。

这幅大画分别镶在墓室的两面墙上。其中一侧，从右至左，第一个人物是王戎。王戎坐在一棵银杏树和一棵柳树中间。银杏的叶子是半圆形的，柳树则是下垂的柳条。

王戎右手拿了一个“如意”，这是古人拿来搔背的东西，有竹子制的，现在也有人用。

和王戎面对面坐着的是山涛。山涛头上戴了一个布巾，左手端着一碗酒，右手拉着左腕的袖子，仿佛在敬酒。

第三个人物是竹林七贤中最重要的阮籍。

阮籍不但写诗，据说，他还善“啸”。“啸”有点像唱歌。走到大山里，仰天长啸，这个“啸”，似乎是表示心里的慷慨激昂罢。

这幅画中的阮籍盘膝坐在树下，姿态特别潇洒。他非常自在，连袖子都卷起来了。你仔细看，他的右手放在唇边，两腮鼓气，嘴巴噘起，似乎正在“啸”呢，很像我们现在吹口哨的样子。

和阮籍对坐的是嵇康。

嵇康是魏晋时代有名的音乐家。他有一首《广陵散》被誉为中国最美的音乐之一。可惜后来他被人陷害，《广陵散》也就失传了。

嵇康是一个很骄傲的人。据说他也长得非常俊美，不爱跟人来往，平日只是独自弹琴。

这幅画中的嵇康正在弹琴。手指在琴弦上，眼睛却似乎看着遥远的地方。他身边的两棵树，姿态也特别优美，似乎配合着嵇康的琴声随风起舞呢！

在另一侧，右起第一位是向秀。向秀是当时有名的一位学者，他很用功于注解古代的哲学著作。他靠在树边，好像在思考很困难的问题。

刘伶是七个人中最爱喝酒的，整天离不开酒。画中的刘伶正端着一碗酒，很专注地看着呢。

阮咸也是一个音乐家。他怀中抱着一张圆形的琴，是他自己发明的，以后连这张乐器也被叫做“阮咸”了。

最左边的一个人叫做“荣启期”，他是春秋时代的一个隐士，也和竹林七贤一样，崇尚自然，因此也被放在这幅画中了。

这幅砖画中的八个人物，姿态都不一样，表现了魏晋时代文人潇洒自在的个性。

·优美匀整的线条·

画中的九棵树的画法也比前代进步，枝叶的描绘都很细致。

和甘肃嘉峪关的壁画比较起来，东晋这幅《竹林七贤、荣启期》的技法，工整细致多了。我们可以看得出来，北方比较倾向于民间的畜牧、农耕等等生活的描写，南方则重视文人优美的生活。

《竹林七贤、荣启期》的砖画是用模子印出来的，说明当时这一类的画已经成为一种范本。

这幅画的线条十分秀丽，是训练很好的专业画家手下的作品。

这种线条，似乎粗细都一样，是用毛笔的中锋画出来的。画的时候必须很谨慎，维持一定的速度和节奏，使线条看起来像一根连绵不断的丝线一样。

顾恺之和“春蚕吐丝描”

像《竹林七贤、荣启期》这样的线条，均匀而有节奏，像一根丝一样连绵不断，在中国古代就给了它一个名称，叫做“春蚕吐丝”。

你养过蚕吗?春天的蚕吐丝时，一根均匀的细线连绵不断，婉转柔细，不就像这幅晋朝画中的线条吗?

“春蚕吐丝”这种线条，古代常常特别用来指东晋时一个大画家——顾恺之的作品。

你注意到没有：一直到现在，我们谈了中国绘画中的许多作品，可是没有提到过任何一个画家的名字。

顾恺之是我们认识的第一个中国画家。

为什么会有这种情形呢？

难道在顾恺之以前，中国没有画家吗？

当然不是的。只要有作品，就有画家存在。

只是古代的画家，在陶罐上、墙壁上画画。他们画得很好，也画得很快乐，可是他们并没有把名字流传下来。

有人认为，这是因为当时的社会不重视画画的人，所以他们的名字都失传了。

也许，画画的人只要自己画得快乐就够了，并不在乎名字是否流传罢！

总之，一直要到顾恺之，我们才有了有名字的画家，也留下了他们的作品，和很多关于他们的故事。

顾恺之是东晋时候的画家。他出身贵族家庭，从小也读书作诗，被训练成为一个文人。

在顾恺之以前，中国许多画家只是工匠。他们学习画画的技巧，但是，不一定要读书。可是到了顾恺之以后，中国画家多半也是文人，要读历史、哲学，也要能作诗或弹琴。

也许因为书读得多的关系罢，顾恺之的画就和别人不一样。他能够把一个旧的题材重新构图，用新的方法表现，他也能够根据当时人的文章，创造新的绘画。

他的成就非常高。在他年轻的时候，在一个叫做瓦棺寺的庙里画壁画，吸引了很多人来观看。为了看顾恺之的新画，很多人还捐钱给庙里呢！

顾恺之大概是中国绘画史上最受推崇的画家之一。

· 《女史箴图》卷 ·

顾恺之留下的作品中，最受重视的一件是《女史箴图》卷。

“女史”指的是在宫廷里的妇女，“箴”是规劝的格言。

《女史箴》原来是西晋时代，一个叫张华的文人写的文章，用来给宫廷里的妇女阅读，使她们知道什么是妇女们应该遵守的道德。

顾恺之看了张华的文章之后，就把文章中描写的内容，一段一段画成了画，一共有十二段。

因为年代久远，十二段《女史箴》，目前只剩下九段了。

有一段是描写汉朝的女官冯婕妤。她陪同汉元帝到花园中玩，不料一只黑熊跑出了兽槛。在惊险的时候，冯婕妤很勇敢地挡住黑熊，保护了汉元帝。

有一段描绘一个人在镜子前梳妆。文字却说：人们大都只知道修饰外表，却不知道美化内在的德性。

《女史箴图》是提倡道德的一卷绘画。

我们仔细看一下，可以发现，画中的线条的确像“春蚕吐丝”一样，在空中循环婉转，非常均匀而优美。

顾恺之画的女性，身材非常修长，裙子的下摆比较宽，使每一个人物的造型都很稳定。

这些画里的人，和我们在前面的壁画中见到的人物不一样。《女史箴图》中的人物大都是宫廷贵族，衣服都很宽大华丽，身上有许多装饰用的飘带，给人一种高贵端庄的感觉。

《女史箴图》中的人物造型和东晋《竹林七贤、荣启期》中的人物非常相像，是同一个时期的作品。

顾恺之 女史箴图卷

东晋 绢本设色 纵24.8厘米 横348.2厘米 英国大英博物馆藏

《女史箴图》教导宫廷中的女官如何修养自己。

《女史箴图》的线条，仿佛春天的蚕吐出的丝一样绵细，所以被称为“春蚕吐丝描”。

顾恺之 女史箴图卷 局部

也有人认为，《女史箴图》卷是隋唐人的摹本。也就是说，那是隋唐时代的人，按照顾恺之的原本临摹下来的。

无论如何，这件《女史箴图》是中国绘画的一件珍贵的宝贝。

可惜在1900年，因为八国联军攻打中国，这件宝贝被进入北京的英军抢走了。

目前这幅画就收藏在英国伦敦的博物馆。

· 《洛神赋图》卷和《列女传图》卷 ·

顾恺之的《女史箴图》，是以张华的文章为依据创作的。他甚至把张华的文章一段一段抄录在他的画上，像现在的图画书一样。

顾恺之另外一张以文章为依据的作品，就是《洛神赋图》。

《洛神赋》原来是曹操的儿子——曹植的一篇文章，描写他在洛水河边，看到美丽女神的景象。

《洛神赋》写得非常美，把人们幻想中的女神，用文字形容得十分令人向往。顾恺之就以这篇中国的文学名著为依据，用绘画来

顾恺之 洛神赋图卷 局部

顾恺之 洛神赋图卷
东晋 绢本设色 纵27.1厘米，横572.8厘米 北京故宫博物院藏

文学名著的故事，经常被画家拿来作为画画的主题。

表现了。

《洛神赋图》这幅名画，原来由顾恺之亲笔画的一张已经遗失了。现在看到的，有四种不同的摹本，都是宋朝人根据原画临摹的。

慢慢展开这张画，可以看到曹植和他的侍从站在洛水岸边，远处河面上的女神正凌波而来。

女神驾着六龙拉动的车子，四周有旗帜飘扬。

最后是曹植乘坐华丽的大船，在洛水上寻找洛神。

这篇有名的文学名著，由顾恺之用具体而形象化的方法画了出来，使文学上的想象，转变成美术绘画上的形象。

顾恺之启发了我们：当我们阅读一首诗或一篇文学作品之后，也可以把文字中的感受用绘画表达出来。

顾恺之的名作《女史箴图》、《洛神赋图》和《列女传图》，其实都是根据很多文字的描述来创作绘画。

顾恺之好像对画女性的角色特别有兴趣，《女史箴图》和《列女传图》都是以女性的美为主题，不仅希望描绘女性外在形体的美、表情上的美，更希望能借此传达出女性内在品德上的美。因此，他的绘画可以说是以有教养的女性为题材的。

古代的中国人常常用绘画来歌颂有道德、有功勋的人。他们相

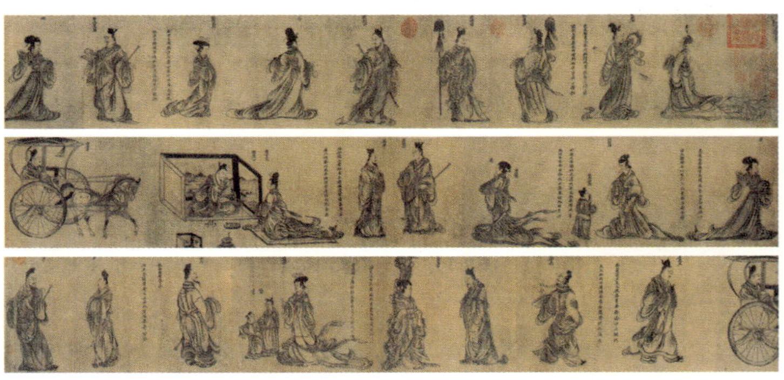

顾恺之 列女传图卷 东晋 绢本淡设色 纵25.8厘米 横470.3厘米 北京故宫博物院藏

信：为这些有品德的圣贤，有功业的帝王、将军画像，可以借着这些人像，影响一般的人，使一般人看了这些图画，不知不觉地效法圣贤的行为，成为对社会有贡献的人。

顾恺之生存的时代，恰好就是这种观念流行的时代。所以，他的《女史箴图》、《列女传图》，都是有教育意义的。

你相信常常看一个伟人的画像，也会影响你的行为吗？

在生活中，有没有你特别佩服的人？中国人把自己佩服的人称为“偶像”。你愿意为你的“偶像”画一张像吗？

或者，你愿意用顾恺之的方法，把一篇自己喜欢的故事改画成绘画吗？

北魏

—— 受外来民族影响的宗教艺术

敦煌艺术

顾恺之在南方画画的时候，中国的北方，由于受外来不同民族的影响，产生了很不同的绘画。

顾恺之的《女史箴图》、《洛神赋图》都是画在绢上，裱成卷轴的，有点像我们现在在故宫博物院看到的古画。

他的绘画，也大部分以汉人的贵族生活为主要内容。

当时在中国北方，由于外来的少数民族信仰佛教，佛教的宗教内容变成北方绘画最主要的题材。

佛教原来产生于印度。印度人在山里凿洞窟，用来修行，也在洞窟里雕刻或绘画佛像。

这些习惯都影响了中国。因此，在历时三百多年的魏晋南北朝时代中，东晋的顾恺之，在绢上画历史或社会风俗的绘画；北朝的许多名字失传的画家，在山洞墙壁上，画了许多叙述佛教故事的壁画。

千佛洞的佛像壁画与彩塑

佛教壁画中最有名的，就是敦煌的千佛洞了。

供养菩萨

北凉 壁画 敦煌二七二窟

因为印度佛教传入中国，我们画画的方法，也受了极大的影响，而产生新的表现方法。

敦煌在甘肃省，也是汉代中国通往西方丝路上重要的一站。因为古代商人、旅客来往频繁，敦煌成为一个繁荣的城市。

这个地区的人，由于信仰佛教，就模仿印度的习惯，在鸣沙山开凿了许多洞窟，在洞里面画起佛像来供奉。

敦煌的洞窟，从公元4世纪开始，经历了北魏、西魏、北周、隋、唐、宋、西夏、元等好几个朝代不停地经营，大约有一千年的绘画资料都保留在那里，真不愧为“敦煌宝库”。

敦煌的早期壁画，因为是由印度、西域传入的，所以风格上完全不像汉代的壁画。甚至有人认为，当时在敦煌画画的画家，许多根本就是外国人呢！

我们看北魏时期的壁画，一面墙上画了好几列的菩萨。每个菩萨脸部都很像，身体姿势倒是不一样。他们头上都有一个圆形的光圈，身上也披有飘带。

因为年代久远，色彩改变了，所以他们脸上的线条都特别黑，原先应该是朱红色的。

你应该注意到了，这里的菩萨，和前面我们看到的汉代壁画，或顾恺之画中的人物都不一样。

他们上半身不穿衣服，显然是印度热带的习惯。

他们头上用表示神性的光圈，以前中国的画中也没有这样画过。倒是欧洲基督教的耶稣，头上才有光圈。

北魏敦煌的壁画，不太重视线条，不过色彩倒是比原来中国的绘画强烈大胆多了。

这种外国传来的绘画，一进入中国，很快就被大家喜爱，竞相模仿起来，也使中国原有的绘画发生了很大的变化。

佛教故事画

·《尸毗王本生图》的割肉喂鹰故事·

最早期的敦煌壁画，有不少是宗教故事画。

例如，尸毗王“割肉喂鹰”。

尸毗王是印度一个国王，有一天，他坐在宫中，忽然看见一只凶恶的老鹰追逐鸽子。鸽子十分惧怕，就躲在尸毗王怀中。

尸毗王因为怜悯鸽子，就答应老鹰，从自己身上割一块同等重量的肉，来换回鸽子的性命。

尸毗王本生图
北凉 壁画 敦煌二七五窟

鹿王本生图（四幅）北魏 壁画 敦煌二五七窟

敦煌的壁画，大多是佛教的故事画。

在北魏的尸毗王壁画中，我们看到尸毗王盘膝而坐，旁边一位侍者正在用刀，从他左腿上割下一块肉来。

壁画上方有一些V字形的“飞天”。“飞天”是佛教中的一种神，他们飞在天上，当佛说法时，就从天上撒下花来。

尸毗王的故事，在敦煌壁画中，常常被拿来做画画的题材。那些壁画目的都在表扬尸毗王的仁慈，为了救一只鸽子，不惜施舍自己的身体。

· 《鹿王本生图》的故事 ·

鹿王本生故事也是常见的题材。

这个故事是描述深山中一只有美丽皮毛的鹿王，一天看见一个男人掉到河里，快要淹死，就奋不顾身地从河中把这男子救起来。

男子跪在地上拜谢鹿王。鹿王嘱咐这个男子，不要把它藏身的地方告诉别人。

可是，这男子回到城市以后，看到国王正悬赏捉拿鹿王，要用鹿王的美丽皮毛为皇后做衣服。这男子忘恩负义，忘了他的诺言，就带领国王的大军去捕杀鹿王。结果恶有恶报，这男子结果是全身生疮而死。

这也是佛教宣扬佛法的故事，被画家画成了很长的一幅连环画，是敦煌壁画中最长的画幅之一，总共有595厘米长。

我们看到这幅画中的鹿、马等动物，都画得非常活泼生动，而且和汉代中国的画法不同，不只是用线条勾勒，也用色彩做出立体的效果。

国王和皇后居住的王宫，是亚洲中部和西部的建筑形式。皇后穿的衣服和头冠上的披纱，也完全是中国原来所没有的服饰。

一般说来，汉代以前，中国绘画的画面比较简单，很少用这么长的连环图来说一个故事。受到印度这种故事画的影响，后来中国的绘画中，也出现很长的长卷了。

·《萨埵那太子本生图》的舍身饲虎故事·

另一个在北魏故事画中常见的题材是萨埵那太子的故事。

萨埵那太子的故事和尸毗王故事有些类似，描写一个心地仁慈的太子，和两个哥哥一起到森林中去游玩，途中发现悬崖下有一只老虎，刚刚生下七只小老虎。因为没有食物吃，眼看这只母老虎和七只小老虎就要饿死了，萨埵那太子心中不忍，就跳下悬崖，把自己喂给老虎吃了。

这个故事叫做“萨埵那太子舍身饲虎”，也是在宣扬佛教的仁慈和施舍精神。

佛教认为，我们施舍任何东西都很容易，只有施舍自己的生命才是最难的施舍。

我们在北魏人画的这幅壁画前，看到这个舍身饲虎的佛教故事，

萨埵那太子本生图 局部
北魏 壁画 敦煌二五四窟

尸毗王本生图
北魏 壁画 敦煌二五四窟

被处理成非常感人的画面。

首先我们看到萨埵那太子投身往下跳的姿态，他双手合十，决心施舍自己的身体。下一个动作就是他跪在地上，用竹签刺破自己的脖子，放出血来，让饿得快要死去的老虎舔食。

最后，在画面的下方，一个横尸谷底的萨埵那太子，身边围着几只正在吃他的老虎。

在同一个画面上，出现了萨埵那太子三个不同的连续动作，就好像是现代电影用的手法。

我们可以说，这幅壁画是中国绘画中最伟大的杰作。它把一个复杂的故事浓缩在一个画面上，优美生动地传达了很深的宗教情感。

从这幅壁画中，我们可以看出，北方当时以印度佛教为题材的壁画，完全不同于南方顾恺之的人物画。

敦煌壁画颜色丰富而且强烈，画面被各种颜色布满；而顾恺之的人物画，基本上还是以线条勾勒的。

我们刚才已经说过，同一个佛教故事，可能一再重复地被画家画成壁画。例如尸毗王“割肉喂鹰”的故事，就有另外一幅，画法完全不同。

这一幅画中的尸毗王，也是盘膝坐在椅子上，一名侍者正在割他左腿上的肉。

他的右腿被一名女子抱住，大概是他的妻子罢，似乎在劝阻他不要割自己的肉。而尸毗王的右手掌上，正好停着一只绿色的鸽子呢。

敦煌的佛教故事画中常常穿插很多“飞天”和弹奏乐器或跳舞的“伎乐天”，都是代表天上的神。他们姿态活泼，特别有趣。

西魏

—— 佛教的汉化及绘画新风格的形成

壁画

北魏灭亡以后，进入西魏时代。敦煌壁画还延续着佛教故事画的传统，但是风格已经大大改变了。

宗教画

·《得眼林》故事画·

《得眼林》故事，描写五百个强盗被官兵逮捕。皇帝为了惩罚他们，就命人把五百强盗的眼睛都挖掉了。

被挖掉眼睛后的五百强盗，在旷野中呼号求救。佛陀看见了，非常怜悯他们，就为他们说法，佛陀用香药医好他们的眼睛，使他们重见光明。这五百人也就因此而皈依佛法，做了和尚。

这幅故事画，也不离佛教宣扬慈悲、忏悔精神的宗旨。

在画面上，我们首先看见披着盔甲的骑兵，正在捕捉五百强盗。

马匹和官兵的盔甲都很像欧洲中世纪骑士的样式。

第二部分是描写这五百人被施以挖眼的酷刑。在一旁观看的是政府的官吏罢。在这幅画里，我们发现，原本由印度传来的人物造型和

得眼林（四幅）
西魏 壁画 敦煌二八五窟

敦煌的壁画，虽然是受到印度佛教的影响而发展起来，可是，不多久，中国画家又开始把汉族的造型融合进去了。

建筑式样，已经转变成汉族的样式了。

记得吗？北魏壁画中的人物，大都是上身赤裸的。但是在这幅画中，这些官吏穿的衣服，袖子都很宽大，完全是汉人的服装。

宫殿的屋顶也有了中国式的飞檐，用紫色来处理，仿佛是琉璃瓦。

和《得眼林》故事同一个洞窟所画的“飞天”，也和北魏时代不相同了。

北魏的“飞天”是V字形，非常呆板。可是西魏的“飞天”，不但容貌变得非常清秀，很像顾恺之画中的女子，连身体的姿态也变得十分优美。她们衣服上长长的飘带飞扬在空中，和天上的流云、花朵交错，组成非常美丽的韵律。

伎乐天图
西魏 壁画 敦煌二八五窟

供养菩萨图
西魏 壁画 敦煌二八五窟

这两位“飞天”怀抱的乐器，一个是圆形的阮咸；另一个是“箜篌”，类似于西方的竖琴。

那些构成图案的色彩和线条，巧妙地使整个画面充满了音乐，好像琴音琤瑽，我们都可以听得见一样。

这一窟壁画中的供养菩萨也比北魏生动多了。他们姿态各异，线

供养菩萨图 局部
西魏 壁画 敦煌二八五窟

供养菩萨图
西魏 壁画 敦煌二八五窟

被中国画家美化了的印度飞天和菩萨。

条也变得更加细致。但是，画面丰富而强烈的色彩，浓艳的红、蓝、绿、黄的对比，很明显是受外来影响以后的新风格。

“菩萨”，原来是印度文翻译过来的。菩萨早期当然也是印度人的样子。可是到了西魏，连菩萨都变成汉人的样子了。你看，这个清秀的菩萨，眉目是不是汉人的样子？他和顾恺之画中的文人几乎没有差别呢！

也许当时南方顾恺之的绘画也影响了北方的壁画吧，从敦煌的壁画来看，越到后期，外来的印度风格逐渐消失。我们从绘画的演变，竟然也可以看到外来文化被同化的经过。

融合的神话绘画

敦煌的开窟，原本是为了宣扬佛教，所以早期壁画的内容都来自佛经。“尸毗王”、“萨埵那太子”，都是佛经中的人物；“鹿王”、“得眼林”，也都是印度的神话。

可是，到了西魏以后，在绘画风格上，汉族的人像造型、服装、建筑形式，不断被加到印度的式样中去，甚至连原来的印度佛教，也开始融入了中国原有的本土宗教和信仰，混合成一个新的神话世界。

西魏的第二四九窟，特别呈现出这种混合的风格。

·《说法图》·

我们先看《说法图》的部分。

《说法图》的正中央是佛陀说法。这一部分因为涉及庄严尊贵的佛陀，所以形式上没有太大的改变。中央的佛陀和两边的菩萨，都是延续北魏以来的画法。

左右上方各有两组“飞天”。我们很清楚地可以看出来，下面的

说法图和供养菩萨
西魏 壁画 敦煌二四九窟

窟顶（西顶）西魏 壁画 敦煌二四九窟

一组飞天是比较传统的北魏形式；上面的一组，已经换穿了衣袖宽大的朱红色汉服，身上披了美丽的蓝色飘带，早已是汉化了的“飞天”了。

这种混合，在西魏的壁画中可以说比比皆是。二四九窟的窟顶部分，就是一次汉族文化和印度神话的大融合。这个窟顶上彩绘的壁画，颜色鲜艳夺目，线条流动飞扬，正是西魏壁画的代表作品。

我们看到，原来的印度佛教神话，已掺进许多汉族的信仰。例如，用一圈鼓围成的“雷公”造型，就是中国原有神话中的角色。

又例如，长出九个人头的龙，也是《楚辞》中描写的神奇动物，我们在汉代的画像砖中也曾经看到过，此刻也借用来描述印度佛教的神话了。

这种神话的大融合，并不是通过思想上的辩论，却是经由画家的自由联想，把不同形象的神组合在一起，完成了丰富生动的画面。

[左上图] **窟顶**（东顶）
西魏 壁画 敦煌二八五窟

[左下图] **窟顶**（西顶）
西魏 壁画 敦煌二八五窟

[右上图] **窟顶**（东顶） 局部
西魏 壁画 敦煌二四九窟

敦煌壁画，是画家对文化融合的大贡献。

二八五窟的窟顶壁画，也是把不同宗教的神话，组合在一起而成的。

画面上充满了各色各样的神怪、天龙、飞马、雷神、菩萨、飞天等等，共同组合成一个盛大华丽的交响曲。那一片花团锦簇，灿烂夺目，真是一个奇幻的神话世界！

写实绘画的再现

大体说来，敦煌的壁画，因为以宣扬佛教为主，因此描绘的对象大半是佛、菩萨，或天上的诸神，少有对现实生活的描写。

可是，随着佛教和汉族本土信仰的融合，汉代传统绘画中对生活的写实风格，也陆续恢复了。

在二四九窟描写神话的大壁画中，竟有一部分是对当时狩猎生活的描绘。那是完全写实的。

山脉用绿色和赭色来界定层次，山上甚至还画出了树林。

在一片树林围绕中，我们看到一头野牛狂奔而来。

这头牛，完全不同于敦煌北魏壁画的色彩涂抹画法，相反地，却是用很熟练的毛笔线条，准确而活泼地勾勒出它的动态。

我们应当很熟悉：这头野牛的画法，完全和汉代和林格尔的壁画相似，是非常传统的中国线条白描画法。只有野牛上方的云彩，还保留印度式的画法。可见当时的画家，已经很自由大胆地运用不同的技法，使汉族与外来的技法共同在画面中出现。

“射猎”这一类的题材，在汉代的绘画中也常见到。因为受到印度宗教的影响，敦煌壁画曾经一律以神佛为主题，但是，到了西魏，壁画中又陆续恢复了描写生活的写实绘画。我们看画面上那个骑马飞奔、张弓射猎的人像，就可以知道，受到外来宗教的影响后，中国人自己对生活的描绘能力，又逐渐抬头了。

其实，我们现在所处的时代，也是一个饱受外来文化影响的

野牛图 西魏 壁画 敦煌二四九窟

射猎图 局部 西魏 壁画 敦煌二四九窟

时代。

我们现在在学校中画画的方法，大部分是西方传来的。我们画的石膏像，也根本是外国人。

看了敦煌早期的壁画，再看到西魏以后印度画在中国的改变，我们不禁要问，是否我们今天的绘画也跟北魏时代的绘画一样?我们该如何一方面吸收西方传来的技法，一方面又陆续恢复自己民族的画法呢?

经过了北周和隋朝，到了唐朝时代，敦煌的壁画终于完全摆脱外来宗教的影响。

表面上，那些画所画的还是佛、菩萨。可是事实上，佛和菩萨都变成中国人了。一般百姓也不用认为佛教是外来的宗教，好像本来就是中国的宗教似的。

像观音菩萨，中国人到今天还在祭拜。你大概不会想到她原来是印度人罢？这就是画家对文化融合的大贡献！

唐

——国势鼎盛为艺术文化带来伟大、特殊的色彩

宗教画

敦煌的壁画，因为是在一千年间经过历代画家完成的，所以，连续起来看，特别可以观察出中国绘画的演变过程。

经过北周、隋朝以后，一进入唐代，我们立刻可以发现，北魏以来的印度画风，一下子转变成一个成熟的中国式佛教艺术。

那端坐在莲花座上的菩萨，低头沉思，手指拈着飘带，形态纤柔而优美，完全是一个中国的菩萨了。

唐代的敦煌壁画，一般说来，不再以故事画为唯一的重点了。

原来印度佛经里的“尸毗王”、“萨埵那太子”的故事，虽然有慈悲、施舍的内容，也曾经感动过很多中国的画家，可是中国画家好像还是觉得那些故事有些残酷。

你不觉得吗?尸毗王在自己的腿上割肉；萨埵那太子跳下悬崖，用自己的身体喂老虎：伟大是伟大，可是一片血淋淋的，实在令人感到恐怖。

中国画家喜欢安静祥和的画面。他们觉得宗教给人的应该是喜悦和幸福，不应该太强调血淋淋的场面。

菩萨图
唐 壁画 敦煌三二二窟

思惟菩萨图
唐 壁画 敦煌七一窟

菩萨是唐代画家最喜欢的题材。

所以，到了唐朝以后，画“尸毗王”、“萨埵那太子”故事的画家越来越少了，大部分的画家喜欢画美丽的菩萨。

菩萨是什么呢?

我们说过，菩萨原来是由印度文翻译过来的。

菩萨具备和佛一样的智慧和道德。

菩萨在领悟了生命的道理之后，很关心世界上其他的人。

他觉得，如果这世界上还有人生活得不快乐，那么他还要回来做他们的朋友。

所以，中国人特别喜欢菩萨。

中国人觉得，菩萨好像母亲，无论你做错了什么事，他们都会原谅你，还是一样的爱你。你有了困难，他们也会全心帮助你，保护你。

这些菩萨是伟大的神，他们具有无限的法力。可是，他们在画家眼中，却只是一个美丽的人。

他们美丽，所以受人尊敬，受人供奉、膜拜。

勾勒的菩萨画像

唐代的菩萨形象，都用中国流畅的白描线条勾勒。他们衣纹和飘带的流动，手指的纤巧灵活，表情的尊贵大方，至今还受到世界各国画家的赞美呢！

你如果比较一下，就会发现，唐代菩萨衣纹的线条变得非常柔软，好像真的被风吹起，一叠一叠的，很有秩序。

这些线条，不是原来印度的技法，却更接近顾恺之的“春蚕吐丝”描。对不对？

是的，经过隋唐的统一，南方画家的造型、技法都影响到了北方。所以，有人说，唐代的绘画特别美丽，是因为它们融合了南方和北方共同的优点。

菩萨常常盘膝而坐，低头沉思，好像在安静中得到了智慧。

唐代的画家，认为菩萨的伟大，是

菩萨图
唐 壁画 敦煌一九九窟

思惟菩萨图
唐 壁画 敦煌一四八窟

因为他特别安静、祥和，心中没有贪婪、野心和欲望。

菩萨和普通人没有太大的差别。只要我们安静、祥和，也可以有菩萨的智慧和美丽。

彩塑菩萨

唐代最美的菩萨是敦煌洞窟中彩塑的部分。

“彩塑”是用泥土来塑造人像，然后再在泥土的人像上，用色彩来绘画。

所以，我们可以说，“彩塑”是结合雕塑和绘画的一种艺术。

唐朝彩塑的菩萨，是世界上最美的艺术品之一。

你看，那尊菩萨很端庄地坐在台座上，一只脚盘曲，另一只脚垂到地面。这是一种很舒服的坐法。

他头上有很高的发髻，胸前佩戴了黄金和珠宝镶嵌的“璎珞”。

菩萨、阿难像
唐　彩塑　敦煌三二八窟

菩萨、迦叶像
唐　彩塑　敦煌三二八窟

菩萨像
唐　彩塑　敦煌四五窟

你注意看，这尊菩萨嘴唇上还有胡须。

菩萨在印度原来是男人的形象，所以有胡须。到了中国，因为中国人觉得菩萨慈悲，很像母亲，所以逐渐从男性变成了女性。

唐宋以后，很多敦煌彩塑的菩萨也没有胡须了。

这些女性化以后的菩萨，神情特别柔美。她们眉眼低垂，仿佛在思考人生的问题；嘴角带着微笑，似乎已经领悟了智慧的答案，内心充满喜悦。

彩塑菩萨身上的色彩非常美，但是用色的种类并不多，常常只是朱红、石绿和蓝色，可是仍然可以造成非常华贵明亮的对比效果。

我们看这一尊站立的菩萨。她右手当胸，左手下垂，连手指都有很多细腻的动作，微微弯曲，好像一朵花一样。

她身上衣裙的皱褶那么柔软，完全使我们忘了这是泥土做的。我

菩萨、阿难像
唐 彩塑 敦煌三八四窟

菩萨像
唐 彩塑 敦煌一九六窟

菩萨像
唐 彩塑 敦煌七九窟

唐代的菩萨，从印度人的神、佛，变成了中国人的母亲。

菩萨像
唐　彩塑　敦煌三八四窟

菩萨像
唐　彩塑　敦煌一五九窟

菩萨像
唐　彩塑　敦煌一五九窟

们可以很清楚地看到，绘画中毛笔画的衣纹线条和这里彩塑中的衣纹线条是一样的。

菩萨的造型是从哪里来的？

唐代的菩萨，既然不以印度的菩萨为依据，那么就一定另有造型上的参考对象罢？

有人说“菩萨即宫娥”。

“宫娥”是指宫廷里的美女。

唐代的人都这样说。他们大概也已经知道，这些美丽的菩萨，不再是印度佛经中的神，而是人间的美丽女子。

这些宫廷女子，高髻戴冠，有一种很自信又很满足的表情，流露出对幸福生活的信心。

她们一方面有印度的血缘，另一方面又有中国文化的熏陶。她们把佛教的安静和中国的简朴、谦虚混合在一起了。

很多人被这些菩萨的造型所感动。

菩萨像及局部 唐 彩塑 敦煌一九四窟

她们并不是高不可攀的神佛。

她们只是比较安静，比较不贪心，比较关心别人。

唐代的菩萨，从印度的神佛变成了中国人的母亲。

这一尊菩萨有略微丰满的妇女脸孔。她的眼睛低低下垂着，好像低头在照顾她的孩子，真像中国人所最熟悉的母亲呢！

“净土变”绘画

唐代的敦煌壁画不再以佛教的故事为题材，排除了“尸毗王”、“萨埵那太子”的故事。可是，佛教基本上还是敦煌壁画创作的来源，那么，唐代的画家是以什么为题材呢？

我们仔细研究过后，就会发现：原来描写触目惊心的施舍故事画虽然消失了，却大量增加了以“净土”为描绘对象的绘画。

什么是“净土”呢？

佛教认为，我们现在生活的这个世界是不好的，充满了痛苦、肮

西方净土变 局部 唐 壁画 敦煌二一七窟

乐队图 唐 壁画 敦煌二二〇窟

脏。如果你经过佛教信仰的锻炼，就会解脱痛苦，得到智慧与幸福，渡过了苦海，到达“净土”。

所以，“净土”就是干净的国土，或者是“幸福地方”的意思。

到了唐代，中国人不喜欢原来印度佛教中恐怖的、血淋淋的故事，因此，把注意力转移到描写“净土”的佛经。

画家读了这些描写“净土”的佛经，也十分向往：“净土”中的房子都是用黄金和珠宝建筑的；花朵一年四季开放，都不凋谢；人和人也不争吵，都穿着美丽的衣裳，快乐地生活着。

画家当然没有真正见过“净土”。

他们想象中的“净土”，大概就像皇帝住的宫殿罢。

因此，我们在唐代的壁画中，所看到许多以“净土”为题材的作品，其中的楼阁宫殿，完全是唐代宫廷的规模。

原来的印度宗教画，经过画家这样改变，结果就产生了唐代的宫廷写实绘画。

这些壁画，与印度佛教无关，倒变成研究唐代宫廷生活的最好资料了。

“净土”里当然不只有宫廷中的华丽楼阁，也有宫廷中宴会的盛大场面。

所以我们也看到吹奏各种乐器的乐队。

唐代文化的特色，是对各种不同民族的文化都加以包容。以音乐来说：西域、印度，甚至阿拉伯的，都先后传入中国。这幅乐队图中的“腰鼓”和一种斜弹的“琵琶”，都是外来的乐器。

净土画中的音乐和舞蹈，都是流行于唐代宫廷的乐舞。印度和西域的柔美舞蹈，也被画家画入了“净土”。

地上铺了华丽的地毯，两旁坐着吹弹乐器的乐手，宫女在地毯上挥动彩带，翩翩起舞。楼阁的栏杆上，都有各种图案的装饰。

唐代壁画中的“净土”，引人向往的不再是印度佛教的幻想世界，而是现实生活中幸福快乐的部分。

中国人原本是不信奉宗教的。中国人也许相信：日常生活本身就是一种宗教罢。所以，把现实中的生活过得更快乐、更幸福，也就达到宗教里所说的“净土”了。

唐代壁画中这些美丽的生活画，充满富裕和幸福，处处有歌唱和舞蹈。

所以，到了唐代，敦煌壁画已经不再是佛教画了。

我们在壁画中所看到的舞蹈、音乐，跟当时宫廷画家所画的没有分别；我们在壁画中看到的宫殿，也和当时一般画家画的没有分别。

壁画中描写农夫在田中耕作，驱牛犁田；描写行路的商人，在山中遇到打劫的强盗。

甚至，连描绘在厨房杀猪宰羊的屠夫，看起来也都和一般世俗生

[左上图] **商人遇盗图** 唐 壁画 敦煌四五窟
[右上图] **屠房图** 唐 壁画 敦煌八五窟
[左下图] **对舞图** 唐 壁画 敦煌二二〇窟
[右下图] **雨中耕作图** 唐 壁画 敦煌二三窟

敦煌的壁画中，有许多描写现实生活的“世俗画”。

西方净土变 局部
唐 壁画 敦煌一七二窟

唐代的净土画，其实就是当时宫廷生活的写照。

舞乐图
唐 壁画 敦煌三二〇窟

舞乐图
唐 壁画 敦煌一一二窟

活中的一样。

这种以现实生活为题材的世俗画，大量进入以佛教为主题的绘画中，把原来印度的宗教画，转变成中国的风俗画。

宫廷画

这些风俗画，基本上是以描写宫廷生活为主。

当时唐代的宫廷绘画也非常发达。

阎立本就是一个以画宫廷绘画为主的画家。

历史人物画

· 阎立本的《历代帝王图》卷和《步辇图》卷 ·

阎立本画过《历代帝王图》卷，画每一个朝代重要的皇帝。

我们可以发现：唐代敦煌壁画“净土”中的“皇帝”，竟然和阎立本在宫廷里画的皇帝，几乎完全一样。

阎立本 历代帝王图卷 局部
（右：陈后主，左：北周武帝）唐
绢本设色 美国波士顿美术馆藏

唐代的宫廷职业画家，是以画帝王的肖像为主要的工作。

帝王群臣图 唐 壁画 敦煌二二〇窟

由这个例子，我们就知道，到了唐代，经过将近五六百年的吸收，印度佛教绘画已经和中国宫廷绘画结合在一起，没有什么差别了。

唐代宫廷中有职业性的画家。这些画家，不但自己一生以绘画为职业，甚至还将工作传给儿子、孙子或兄弟。

唐代初年有名的画家阎立本就是这种情形。他的父亲阎毗，他的哥哥阎立德，都给宫廷画过画。

当时宫廷里的画家，不只是画画，还要替皇帝、公主等贵族们设计住的房子、穿的衣服、用的家具器物，等于是一个宫廷的设计师。

阎立本是唐太宗李世民时代的画家。因此，他所有作品也大都和这个帝王有关。

《历代帝王图》卷选了十三个帝王。帝王都身体魁伟，两臂张开，衣袖宽大。旁边陪衬的人物，相形之下，就显得卑微。

这种突出主要人物的画法，在阎立本的《步辇图》中也可以看得到。

《步辇图》是一张历史画。

古代没有照相机，对于重大的事件，就常常以绘画来记录。这也是宫廷画家的重要工作之一。

《步辇图》是描写唐太宗在贞观十五年，为了政治上的原因，把文成公主嫁给吐番国王松赞干布的事。

吐番就是现在的西藏。松赞干布派使者“禄东赞”到唐代的首都长安，晋见唐太宗，迎娶文成公主。

画面上，十分威严的唐太宗，坐在“步辇”上。“步辇”是一种座椅，由六个宫女抬着。步辇旁有两个宫女拿着很大的宫扇，后面还有一个宫女拿着一张伞盖。

“步辇”由右边向左而来。

左边是三个人。第一个是穿红袍的官吏，可能是引见的典礼官，类似我们今天外交部的礼宾司罢。第二个穿西藏服装的，就是吐番使者禄东赞。最后一名大概是翻译官。

这三个人都双手捧立，姿态非常恭敬。

唐太宗在画面上就画得比较大，显示了唐代帝王的威仪。

这幅《步辇图》，据研究也可能是宋朝人临摹的，不过，阎立本原画的构图和笔法大致上都保留下来了。

唐太宗的相貌，我们在不同的几张画上都能看到，画得都很相像，可见唐代的肖像画是很写实的。

阎立本也画过唐代开国的功臣和名将。唐太宗手下重要的大臣魏徵、房玄龄……都被画过。这些都是当时的肖像画。

阎立本 步辇图 唐 绢本设色 纵38.5厘米 横129.6厘米 北京故宫博物院藏

《步辇图》是中国最重要的历史画。

职贡图

· 阎立本的《职贡图》卷 ·

《职贡图》也是他重要的作品，描写的是少数民族和外国使者到长安进贡的情形。

唐人因为国势强盛，到长安来朝贡的各国使者很多，个个形貌特殊，服装也具有异国风味，构成很有趣的画面。

唐代的宫廷画家常常画《职贡图》，含有宣扬国威的意思在内。

如果是现代，大概就会用照相机或录像机来拍摄了。

我们也常在电视上看见外国使者晋见我们的政要。这种画面，如果是在唐朝，宫廷画家阎立本就会一一把它们画在他的《步辇图》或《职贡图》里呢！

阎立本 职贡图卷
唐 绢本设色 纵61.5厘米 横191.5厘米 台北故宫博物院藏

《职贡图》，是类似今天外国大使觐见本国元首时的记录画。

·画圣吴道子的《送子天王图》卷·

唐代除了像阎立本一样的宫廷画家之外，也有民间的画家。

其实，画敦煌壁画的画家，几乎都是民间画家。

这些民间画家，地位没有宫廷画家那么高，他们的名字也常常被人遗忘。但是，他们也可以画出像敦煌壁画那么好的画来。

民间画家，不像宫廷画家。他们大都替各地的庙宇画壁画，不画帝王贵族的生活。

民间的画家，如果画得好，变得有名了，也有被皇帝召为宫廷画家的。

吴道子就是其中的一个。

吴道子原本是唐玄宗时代，一个替寺庙画壁画的画工。他在长安、洛阳所画的壁画，一共有三百多幅。

吴道子因为画得好，名声传进了宫廷，就被皇帝召进宫，让他做了官，要他替宫廷画一些历史画。

吴道子因为原本是民间画家，所以表现的技法比较自由，不像宫廷画家那么小心翼翼。

他在寺庙墙壁上画的，多半是有教

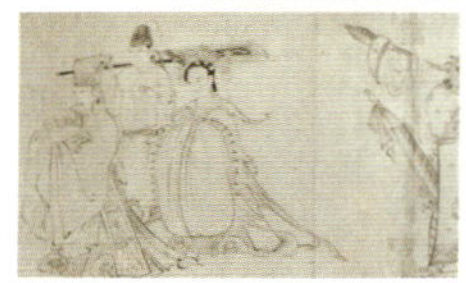

吴道子 送子天王图卷
唐 纸本水墨 纵35.6厘米
日本大阪市立美术馆藏

吴道子的线条，开始有了活泼有力的顿挫，被称为“吴带当风”。

维摩诘图
唐 壁画 敦煌一〇三窟

育意义的宗教画。画中人物都用线条勾勒，线条非常生动有力。在很大的壁画上，几尺长的线条，好像被风吹动，在空中飞扬一般。

所以，一般人称吴道子画的线条是“吴带当风”。

“吴带当风”和“春蚕吐丝”的差别在哪里呢？

“春蚕吐丝”表现比较均匀、缓慢的节奏；可是，“吴带当风”似乎具有狂风暴雨的速度，气势很大。

吴道子的《送子天王图》，现在看到的是摹本，但是，也可以看到画面上都是飞动的线条。每一根线条都有几次转折变化，的确像被风翻动的衣带。

其实，在敦煌壁画中，我们也可以看到具有吴道子风格的作品。

例如，一〇三窟的《维摩居士》，完全用白描线条勾勒。一层一层的衣纹，全是流畅的线条。这都是“吴带当风”的影响罢。

仕女画

唐代艺术中，以女性为题材的作品非常多。

有人认为，唐代女性的社会地位很高。例如武则天，她是唯一做到皇帝的女性。所以，在绘画上，我们也看到许多以宫廷妇女为题材的绘画。

像阎立本这样的宫廷画家，他所画的对象多半是帝王、大臣。

但是，到唐玄宗以后，宣扬国威的政治画和历史画比较少了。新兴起的，是张萱、周昉这些宫廷画家所画的仕女画了。

宫廷中的女性，当然也是宫廷生活的主角之一。

唐太宗的时代，因为国势强盛，宫廷画家的责任，也集中在表现政治上的活动。唐玄宗以后，国势逐渐衰微下来，也很少再有类似《步辇图》或《职贡图》那种宣扬国威的题材好画了。

宫廷画家就把宫廷绘画的内容，转向描写宫廷妇女多彩多姿的生活了。

·张萱的《虢国夫人游春图》卷和《捣练图》卷·

张萱的《虢国夫人游春图》，描写唐玄宗时代，杨贵妃的姐妹在春天出游的情形。

画卷上的人物都骑马，从左向右缓缓行进。

前面三个人似乎是向导，间隔比较大。后面是五个人一组：两个侍仆模样的人，簇拥着三位贵妇人。

唐朝的宫廷仕女都比较丰满，头上梳着高髻，衣着鲜艳而华丽。

传世的这卷《虢国夫人游春图》，据说是宋朝大画家赵佶（徽宗）临摹张萱的画作。

张萱在唐代以后，成为中国仕女画最重要的画家。许多宋代的大画家，都临摹过他的原作。

他还有另一件名作《捣练图》。现保存在美国波士顿美术馆的一卷，也是赵佶的临本。

张萱 虢国夫人游春图卷（摹本） 局部
宋 绢本设色 纵52厘米 辽宁省博物馆藏

《捣练图》是描写宫廷妇女整理丝布的情形。

卷首的部分是四个妇女，手中拿着木杵，正在一个大槽中捣丝。她们的服装非常华丽，衣裙上都用金线勾描出很细致的花纹。头发梳成高髻，插着很多镶了珠宝的饰物。

中段是两个妇人对坐，正在缫丝或缝纫。旁边有一个女仆，用扇子煽火炉。炉中有燃烧的木炭，火势炽旺。

由炉火带出了第三段的画面：两个妇女拉着一匹丝布；中央一个妇女，手上拿着熨斗，熨斗中装了烧红的炭，正在利用熨斗的热，烫平丝布。

旁边有一个侍仆背对画面。另有一个无事可做的小孩子，在丝布下钻来钻去。

这幅《捣练图》，表达了唐代宫廷仕女的家庭生活。十几个人

张萱 捣练图卷（摹本） 局部
宋 绢本设色 纵36.8厘米 美国波士顿美术馆藏

物，分成三段，活泼地传达了工作的程序，也描绘了唐代宫廷仕女的服装，颜色雅致，图样精细。

像《捣练图》这样的宫廷仕女图，用的颜料非常讲究，多半是用矿石磨成粉做成的。这种颜料，经过了一千年，色泽还是非常艳丽，并不褪色。

· 周昉的《簪花仕女图》卷 ·

张萱之后，唐代另一位以画仕女图出名的画家是周昉。

周昉的时代比张萱晚一些。经过了安史之乱，唐朝已由初唐、盛唐转入中唐，国势也衰微了。

周昉有名的《簪花仕女图》，描写的是宫廷妇女悠闲的生活。

图画开始的一段，画的是两名妇女相对而立。其中一名，手中拿着拂尘，正在逗弄一只小狗。

她们的头发梳得很高，这是唐朝流行的发式。头发上还戴了一朵很大的花。她们的衣服是很薄的丝绸，半透明的外衣下，还可以看见底下衣裙的花纹。这都表现了唐代画家高超的技巧。

第二段是一个衣着华丽的妇人在庭园中闲逛，手中拈着一朵红花。她的前面有一只鹤，后面跟着一名手持纨扇的宫女。

最后一段是两名妇女和一只小狗，走到花朵盛开的庭园中游玩。另外还有一名妇女，手中拈着一只蝴蝶。

这一幅《簪花仕女图》是最典型的唐代宫廷仕女绘画。

这幅画，色彩十分艳丽，画面中充满宫廷的富贵和悠闲气氛。

许多人觉得这张画中的仕女很像电影中看到的日本女人。其实，那是日本受到唐朝仕女服装和化妆术的影响，后来一直保留下来的缘故。改变的，反倒是中国妇女自己了。

周昉 簪花仕女图卷
唐 绢本设色 纵46厘米 横180厘米 辽宁省博物馆藏

唐代的仕女画，表现了宫廷贵族妇女逸乐闲适的生活。

例如画中妇女的眉毛，画法很特别，叫做“蛾眉”。这种化妆的方法，直到今天，仍然深深地影响了日本女性。

这一类宫廷仕女图，在唐代形成一种绘画风尚，自然也影响到了民间。我们在新疆发现的帛画上，也看到一些仕女画，风格技法和周昉《簪花仕女图》中所画的仕女，非常相似。

唐人 妇女残绢画
绢本设色 新疆吐峪沟出土

动物画

韩幹画马

——《照夜白》和《牧马图》册页

唐代和汉代一样，是中国历史上开

昭陵六骏之飒露紫 唐 浅浮雕
美国费城大学博物馆藏

韩幹 照夜白图卷
唐 纸本水墨 纵30.6厘米 横34.1厘米 美国纽约大都会美术馆藏

韩幹 牧马图册页
唐 绢本设色 纵27.5厘米 横34.1厘米 台北故宫博物院藏

唐代以马为主题的艺术品很多，说明了唐代开疆拓土的精神。

疆拓土的时代。古代国家的征战，最重要的就是马匹。唐太宗生前出征各地所骑的马匹，在唐太宗死后，一一都有雕像保存下来，放置在唐太宗的墓中，总共有六匹，称为《昭陵六骏》。

马，因此也成为唐代画家重要的绘画题材。画家画马，是要显示唐朝的国威和兵力，就像政治画一样，含有特殊的时代意义。

唐朝画马的画家很多。其中很有名的一位，就是韩幹。

韩幹画的马，目前我们还能看到的最好一幅，就是《照夜白》。

《照夜白》是唐玄宗的爱马，矫健善跑，一身雪白，好像晚上的满月，因此被称为“照夜白”。

韩幹这张《照夜白》，画的是一匹骏马，被拴在一根柱子上。

这匹性格刚烈的骏马，似乎不太愿意被拴住。它昂头嘶叫，眼中流露着恐惧不安的神情。它的四蹄都在跳踢，好像在等待着解开绳索，以便驰骋在大平原上，一日千里。

这张画的线条最令人欣赏。劲健

有力的线条，勾勒出马的肥壮。细看马的臀部到腰背的那一根线条，浑圆饱满，有很强的体积感。韩幹除了用线条勾勒之外，也用阴影做了一些处理。特别是马的胸部，经过线条和阴影的交互使用，肌肉一块一块地鼓起，看起来真是一匹肌腱结实的骏马了。

这匹“照夜白”，全身都是流动活泼的线条。只有那条皮革的笼络缰绳，是用比较缓和安静的线条画成的。马的鬃鬣飞扬直立，显示出一匹志在千里的骏马，正被肃穆的缰绳捆绑。画家利用这线条的动和静，表达了画面的张力。

画一只会跳动奔跑的动物，不但要画出它的形状，还要能表达它肌肉运动的感觉。我们要画自己家中养的猫或狗，最难的就是对它们动态的掌握。

韩幹的《照夜白》，是一张可以参考的作品。

这张画，从唐朝一直传下来，成为一张有名的作品，很多人收藏过这张名画。所以，画幅边缘有许多红色的印章，还有文字的题记，表示了这张画被后代重视的程度。

韩幹有另一张常被讨论的作品，就是《牧马图》。

《牧马图》画了两匹马：一黑，一白。黑马在前，白马在后。一个大胡子的胡人骑在白马上。画的左上角，有宋徽宗写的“韩幹真迹”四个字。

不过，这张画，画得比较工整谨慎，和那幅《照夜白》很不相同。这张画里的马，比《照夜白》安静，没有《照夜白》那种雄浑的精神。

韩滉画牛——《五牛图》卷

唐代有很多画马的画家，画牛的画家却不多。

韩滉 五牛图卷 唐 纸本设色 纵20.8厘米 横139.8厘米 北京故宫博物院藏

韩滉画的《五牛图》是其中有名的一幅。

画马和画牛很不一样。马的个性刚烈，速度很快，反应也比较灵敏，所以画马的画家，多半喜欢捕捉马的矫健特性，表现马的奔跑或嘶叫。

可是牛的个性，几乎和马完全相反。牛的行动迟缓，有勤劳、忍耐和顺从的天性，反应也比较慢。

在韩滉的《五牛图》中，第一头是大黄牛，从右向左行进。它身躯庞大，步伐缓慢，脸上露出温和可爱的表情。第二头牛身上有黑白斑。它昂首向前行进。第三头牛最有趣，牛头意外地转向画面，像是要和我们打招呼一样。

正面的动物很难画。韩滉把牛的臀部画得比较高，表示出身体的长度。

你如果要画一只正面的猫，你会怎么画呢?

再说第四头牛。它虽然继续向前行进，却回过头来，并且还伸出红色的舌头，表情很好玩。它脖子下的皮很多，一层一层的，都被韩滉画了出来。

第五头牛是最后一头。它有一点不高兴的样子。

有人说，它是因为被人类装上了鼻环和笼头，行动受人控制，不再是一头自由自在的牛，所以表示出不高兴的样子。你可以比较一下：韩滉的《五牛图》所用的线条比较粗，这种粗重的线条，使画面产生一种缓慢的感觉，像牛；再看韩幹的《照夜白》，线条速度比较快，很能表现马的灵活矫健。

如果你要画家里养的猫，你会用哪一种线条呢？

墓室各式壁画

唐代许多贵族的坟墓，在最近几十年中，都被陆续地发现了。

这些墓都非常大，在地底下经营和地面上一样的宫室，所以也有人叫它“地宫”。

这些地宫里，藏了许多珍贵的唐代器物，像金银器、陶罐、丝绸、土俑等，成为研究唐代生活的重要资料。

永泰公主墓室壁画

墓室的墙壁上也有很多壁画，描写唐代贵族的生活。

例如，在西安发现的永泰公主墓，墓中的壁画就非常出色。

壁画中时常为人提起的一段，画的是九位宫廷妇女。

这些壁画都很大，人物都有真人的高度。

九个人物分成三组，前面四人一组，好像在彼此交谈。中段两人，大概是侍仆，手上拿着扇子等器物。后段三人，一前二后，成三角形。

这一段壁画的线条非常流利，使人想起吴道子的笔法。

在墙壁上的这一段图画，画的是真人大小的人物，以一根连续不断的衣纹线条，有力地勾画出身体的动态。

这一段壁画，可以说是唐代人物画的精华。创作者并没有留下姓

宫女图 唐 壁画 纵177厘米 横198厘米
1960年陕西省乾县永泰公主墓出土

礼宾图 唐 壁画 纵184厘米 横242厘米
1971年陕西省乾县章怀太子墓出土

名，大概是出自当时著名的宫廷画家之手。

我们可以仔细观察：画中人物衣纹的线条有轻重、快慢的不同节奏，这是利用毛笔线条的粗细顿挫来表现衣纹的流动。

章怀太子墓室壁画

另外一个同时期的墓室壁画，也很受重视。这段壁画出自章怀太子墓。

章怀太子墓中的壁画，对当时的宫廷官吏和胡人，都有精细的描绘。

官吏戴着笼冠，身上穿的是衣袖宽大的袍子。他们正在引见胡人国家的使节。我们可以看到胡人不同的容貌和服饰。

这一段壁画使我们想起了阎立本。他的《历代帝王图》和《职贡图》，都和这段壁画中的人物有相似之处。

章怀太子墓壁画里所画的“仪仗”，所有卫士都很有威严。他们体格健壮，持剑而立，脸上神情很庄重。他们胡须的画法，也充分表现

仪仗图
唐 壁画 纵194厘米 横69厘米 1971年陕西省乾县章怀太子墓出土

观鸟捕蝉图
唐 壁画 纵168厘米 横175厘米
1971年陕西省乾县章怀太子墓出土

了吴道子一派的线条特色。

一般人都认为：吴道子画人的头发和胡须，似乎真的是从肉中长出来的，所以有“毛根出肉”的说法。

看了这一段“仪仗图”，大概也可以体会吴道子的功力了。

章怀太子墓中也有关于“仕女”的描写。

壁画中有一段，描绘一个宫廷女子，用右手拿着发髻上的钗，正在梳妆整理。她抬头观看一只飞起的小鸟，那鸟儿的口中还叼着一只蝉呢！

这段壁画，只有一棵小树，三个角色，却充分传达了夏天宫廷花园中的无聊闲适，很可以比美周昉的《簪花仕女图》。

比较起来，唐代壁画中的人物画法，无论是布局还是线条，都比汉代进步了许多。

从事这些壁画创作的画家，也不再是民间的工匠了。他们大都是宫廷中类似阎立本一类的艺术家。

山水画——金碧山水

唐代的绘画是向多方面发展的。除了宗教性的神佛画，宫廷的人物画、仕女画，一般的动物画之外，以山水风景为题材的绘画也很蓬勃。

唐代的山水画被后代称为“青绿山水”或“金碧山水”。

这一类的山水，喜欢用很浓艳的青绿色来涂染，有时也加入金色，造成很华丽的效果。

我们到山里去旅行，常常会觉得大自然的伟大。山上巨大的石块，高耸的树木，峡谷里奔流的溪水，这些景物给我们一种莫名的感动，使我们很想画下来。

可是，要把高山大河画在一张小小的纸上，是很困难的。

所以，山水画的布局和构图很困难。

唐朝以后，中国的山水画，为了强调山的高大挺拔，特地把人物画得很小。这样，大自然的雄奇伟大也就显现出来了。

据说，这些山水画，有很多原来是装在屏风上的。唐朝的宫殿里经常置放很多的屏风。

屏风上的山水画，可以使坐在屋子里的人，有坐在山水里一样的感觉。

这种方法，我们现在也有人加以应用。

例如我们住在城市里的人，感觉到树木很少，也没有山水，因此就在家里养一些盆栽的花树，或挂一张风景画，使生活里有一点自然的点缀。

《明皇幸蜀图》轴

唐朝人最初画山水画，可能也有政治或历史的理由。

例如现在收藏在台北故宫博物院的《明皇幸蜀图》，看来是一张山水画，可是，实际上是有历史画的意义。

明皇就是唐玄宗。他在“安史之乱”的时候，丢弃了首都长安，从陕西经过很危险的一条山路，避难到四川去。四川古称“蜀”，皇帝驾临一个地方叫做“幸”。这张《明皇幸蜀图》，就是记录唐玄宗避难四川旅途中的情形。

这张画是标准的唐代“青绿山水”。

画画的绢，因为年代久了，有点泛黄变色。可是，“青绿”的色彩还是很明显。

看这张画，可以看到画中那些巨大高耸的岩石，几乎是完全直立的。岩石用线条勾勒，有很坚硬牢固的感觉。

可是，流动在岩石间的白云非常轻，非常柔软，跟坚硬的岩石形成一种对比。

这片雄伟壮丽的山川是画面的中心。你再往下细看，就会发现，有一些很小的人，骑着马，在崎岖的山路间行进。

有些悬崖峭壁，连路都没有，就用木材搭出“栈道”。“栈道”底下是悬空的，非常危险。古代往来四川、陕西之间的人，都要走“栈道”。

在这幅画里，左边中段的部分，就可以看到有人马行走在栈道上的情景。

唐人 明皇幸蜀图轴 唐 绢本设色
纵55.9厘米 横81厘米 台北故宫博物院藏

唐人 明皇幸蜀图轴 局部

中国最早的山水画，是用浓重的色彩画成的，所以被称为“金碧山水”或“青绿山水”。

这个在崎岖山路间行进的队伍，就是避难到四川的唐玄宗和他的部队。这是一张历史画，可是，好像画家更大的兴趣是在描绘山水。所以，大家看这张画，不知不觉地会比较注意山水的部分。

李昭道的《春山行旅图》轴

在唐代的宫廷画家中，有一位叫李思训的。他和他的儿子李昭道，都是画“青绿山水”的。

台北故宫博物院有一张《春山行旅图》，据说就是李昭道画的。

李昭道 春山行旅图轴
唐 绢本设色
纵95.5厘米 横55.3厘米
台北故宫博物院藏

《春山行旅图》和《明皇幸蜀图》非常相似，画的也是高峻陡立的巨大岩石，流动的白云；山脚下也有一个行进在崎岖山路上的队伍。

如果你在城市里住久了，大概不太敢相信，山水会是这样雄伟壮丽。可是，如果你到大山中去走一走，你就会知道，唐代人画的这种山水，事实上的确是存在的呢！

文人画

王维的《伏生授经图》卷和水墨山水画

你听过唐朝有一个大诗人叫王维的吗？

他的诗非常有名，一直到现在还被人传诵。

可是，他不只是诗有名；他的画，在中国绘画史上，也有很大的影响力呢！

我们前面提到过，唐代的人物画很发达。阎立本画了很多帝王、将相这些贵族的肖像，张萱、周昉画了很多高贵美丽的宫廷仕女，吴道子画了很多神仙画。

王维也画人物，可是他画的人物和前面几位很不一样。

王维是一个文人，读过很多书、诗和文章，文笔非常好。他做过官，可是后来不喜欢政治，不喜欢宫廷的生活，就到山里去隐居，过很淡泊自在的日子。

王维画过《伏生授经图》，描写一个中国古代用功读书的老先生，不断努力把古人的学问、知识传授给后人。

我们现在看到的一幅《伏生授经图》，不知道是不是王维画的，不过据说是很接近王维的画风。

王维　伏生授经图卷
唐　纸本淡设色　纵34厘米　横44.7厘米
日本大阪市立美术馆藏

画面上一个骨瘦如柴的老人，盘膝坐在蒲团上，靠着几案，右手拿着一卷书，左手正在指点，好像老师对学生讲书。案上有笔、砚等文具，地上还有一大卷书。

这种人物画和阎立本的“帝王”，张萱、周昉的“仕女”，都不一样。

伏生那么老，看起来又瘦又丑，也没有华丽的衣服。可是，王维觉得，画画并不是要炫耀美丽的色彩，也不是一定要去画帝王的尊贵和宫廷仕女的艳丽。他觉得，一个努力读书的人，一个努力教书的老师，也可以是很好的绘画题材。

秦始皇“焚书坑儒”之后，书都被烧掉了，读书人也被活埋了。伏生只有依靠他小时候背诵过的书，一点一点地记录下来，传授给年轻人。

王维一定觉得伏生做的事非常有意义。伏生把文化传了下来，比帝王和宫廷仕女们的贡献要有意义得多，所以王维要为伏生画一张像。

你也可以试试看，在不同年龄、不同身份、不同职业的人身上，发现他们独特的美。

所以唐代的人物画里，有阎立本替帝王将相画的像，有周昉、张萱替宫廷仕女画的像，也有王维替有学问的老人画的像。

一般来说，王维是中国“文人画”的鼻祖。“文人画”就是读书人画的画。这种画，不用太多颜色，不像宫廷画那么艳丽。他们用的主要是墨，所以画面看起来很淡雅。“文人画”后来被宋朝苏东坡等人加以发扬光大。

苏东坡说王维“画中有诗，诗中有画”。也就是说：因为王维本身是诗人，读过很多书，所以他的画中富有诗意，境界很高。

王维晚年隐居在陕西蓝田的辋川，写了很多歌咏山水的诗。“行到水穷处，坐看云起时”这句诗，就仿佛一张画。他的山水画影响也很大：用淡墨画山水，使得以后一千年间，画山水多用水墨，而不用青绿了。

五代

—— 分裂局面下绘画的新风貌

山水画

唐代灭亡以后，中国又进入分裂局面，称为“五代”时期。

因为王维的影响，五代的山水画成为中国绘画非常重要的主题。

五代因为是分裂的情况，居住在不同地区的画家，以不同的山水风景作为他们写生画画的对象，结果画出来的画也产生了很不同的感觉。

例如：北方多大山。崇山峻岭，一层又一层的，观赏者必须抬头仰望。因此，在画家的画中，就出现了非常陡直的构图。

荆浩 匡庐图轴
五代 绢本水墨
纵185.8厘米 横106.8厘米
台北故宫博物院藏

北方的荆浩和关仝画的大山水

传说是五代一个叫荆浩的画家画的

关仝 关山行旅图轴
五代 绢本淡设色
纵144.4厘米 横56.8厘米
台北故宫博物院藏

《匡庐图》，就是这种大山垂直陡立的代表。

荆浩为了逃避战争，就隐居在山西的太行山里。

他画画非常用功，常常带了纸笔，在山里写生，一次一次地观察，把山的各种神貌都捕捉到，回家以后，再依着写生的画稿来创作。

我们可以看出来，五代以后，山水画已经和唐代的青绿山水很不一样了。

唐代的山水画多半用线条勾勒，勾出山的轮廓。

可是五代的山水画，岩石的部分，除了轮廓以外，还有用毛笔慢慢擦出的一些阴影，使岩石看起来有粗糙的表面纹理。这种画法，使山石看起来更厚重，更有体积的感觉。

这种用比较干的毛笔，在岩石上做出的纹理，就叫做“皴”。

“皴”是皱纹的意思。后来中国画山水的画家，都用到“皴”。

荆浩有一个学生叫关仝，住在陕西一带，所以也画高峻的山脉。北方比较寒冷，所以他画的树木，也大多是枯树，很少画树叶。

董源 潇湘图卷 五代 绢本水墨 纵50厘米 横141.4厘米 北京故宫博物院藏

董源的《潇湘图》卷，表现了江南浑厚淡泊的山水，对后代影响极大。

南方董源的《潇湘图》卷和巨然的《秋山问道图》轴

我们刚才提到，山水风景会影响到画家的风格。

在北方的荆浩和关仝，都以画高峻的大山出名，岩石也比较方正坚硬。

可是南方的画家就很不一样。

江南河流很多，地势也比较平缓；气候温暖，草木也很茂盛。

因此，五代时的南方画家，像董源，画出来的山，多半是圆圆的土坡，很少陡直的感觉，也没有坚硬的石块。

土壤肥厚，树木茂密，水气氤氲，就是南方董源绘画的特色了。

他的《潇湘图》，画的土山就是很标准的江南风景。

画面有很多水平的沙洲，沙洲上有芦苇。江面宽阔，有船只来往，岸上还有人送行。

董源为了要表现平缓的土坡，所以常常用向两边斜披的皴法，被称为“披麻皴”。

董源的学生巨然，是一个和尚，他也用“披麻皴”画画。他的

巨然 秋山问道图轴
五代 绢本淡设色
纵156.2厘米 横77.2厘米
台北故宫博物院藏

《秋山问道图》，画的虽然是直立的大山，但是仍然由土坡构成，而每一个土坡里的纹理都是用“披麻皴”。

这一段时间，北方的荆浩、关仝，南方的董源、巨然，都开创了中国山水水墨画的技法，成为后来很多画家的学习对象。

因此，有人就把这四个人的姓连起来，称为“荆、关、董、巨”，表示五代山水画的重要。

我们发现，那个时期，山水画里大概也都还画人物，只是画得很小，不容易发现而已。

后来，中国的画家越来越觉得大自然太伟大了，人真是很渺小。

因此，在山水画里，人物的比例也越来越小。到了元朝，山水画里甚至连人都不画了呢!

顾闳中的《韩熙载夜宴图》卷

五代时期，南方的南唐，文化非常高，出了很多重要的文学家和艺术家。我们很熟悉的南唐最后一位皇帝，李后主李煜，就写了很多有名的诗词。

在李后主的宫廷中有一个画家叫顾闳中，曾经画了一张《韩熙载夜宴图》（以

顾闳中　韩熙载夜宴图卷

五代　绢本设色　纵28.7厘米　横335.5厘米　北京故宫博物院藏

这幅画是南唐时最好的贵族生活写实画，不但人物肖像真人，连器物皆一一可考。

下简称《夜宴图》），成为南唐绘画的重要作品。

当时，韩熙载在夜晚举行的宴会，据说非常热闹豪华，连李后主都很好奇，他就叫顾闳中把夜宴的情形画了出来。

这张《夜宴图》一共分为五个段落，每一段都以主人韩熙载为主角。

第一段是韩熙载坐在床榻上，和几位宾客一起欣赏一个女子弹琵琶，大家的视线都投向女子的琵琶。

第二段，韩熙载换了便服，手拿鼓槌，正在打鼓。四周有人用手打拍子，有人用拍板，配合着一个女子的舞蹈。有一位叫做德明的和尚，很安静地站在一边。

第三段，韩熙载回到床榻上，一位侍女捧着水盆，让他洗手。

第四段，韩熙载坐在椅子上，聆听箫笛的合奏，有五个女子正在吹奏。

第五段是韩熙载手拿鼓槌走出来，好像又要开始打鼓了。

这一件长卷，韩熙载五次出现，表现他家中夜宴的豪华，像电影一样，连续了很多画面。《夜宴图》线条细腻，色彩华丽。

也有人认为，这是宋代画家临摹顾闳中原作而成的。

赵幹的《江行初雪图》卷

南唐的宫廷画家画了许多优秀的作品。

赵幹也是当时宫廷画院的画家。他留下了一件有名的作品叫做《江行初雪图》。

这件作品和《夜宴图》很不同。

《夜宴图》是画宫廷的富贵豪华、丝竹歌弦，都是热闹的场面。

《江行初雪图》正好相反。赵幹选择了一个刚刚开始下雪的江边

赵幹江行初雪图卷

五代 绢本淡设色 纵25.9厘 横376.5厘米 台北故宫博物院藏

赵幹描绘了初下雪时，江边渔人的生活景象。

赵幹 江行初雪图卷 局部

做背景，描绘冬天寒冷萧条的景色，给人一种寂寞孤独的感觉。

画中江岸被雪覆盖，树木都落了叶。我们可以看到衣服单薄的渔民，瑟缩着身体，有的在撑船，有的站在江边浅水中张网捕鱼。

江岸上有两名旅客，骑着驴子走过。

水波都用细线勾勒，像鱼鳞一样。我们仿佛可以听到水波轻轻起伏，拍击江岸的声音。

张开的渔网，一半浸在水中，像一个碗。这种捕鱼的景象，和我们今天在乡下河边看到的景象，还很类似呢！

宗教画

贯休的《十六罗汉图》轴

五代的时候，除了南唐以外，还有一个地方的文化也很高，出了不少有名的画家，那就是四川的西蜀。

贯休原来是浙江人，后来到了四川。西蜀的皇帝王建，封他为“禅月大师”。

贯休是一个和尚，所以他的画也都是以宗教为题材。

唐代以前，中国画佛教人物，多半画佛和菩萨。我们看过唐代敦煌壁画的菩萨，画得非常美丽，好像宫廷的仕女。

可是到了五代以后，中国画喜欢画佛教中的罗汉。

这些罗汉，看起来很丑怪。他们各有一种特殊的本事，有点像街头上各行各业的老百姓。

贯休画了十六尊罗汉：有的眉毛很长；有的在山洞中打坐，闭目修行；有的低头苦读经书，一脸愁苦的表情。

他画的罗汉非常可爱，一点也不像高不可攀的神佛，倒像是平凡

贯休 十六罗汉图轴（选四幅）五代 绢本设色 纵92.2厘米 横45.4厘米 日本宫内厅藏

“罗汉图”的题材，在五代及宋朝以后大为盛行，是表现市民百态的精彩作品。

黄筌 写生珍禽图卷
五代 绢本设色 纵41.5厘米 横70厘米
北京故宫博物院藏

黄筌的《写生珍禽图》，是中国古代画家观察自然生物的手稿。

的小市民，就生活在我们四周，看起来十分亲切。

这些罗汉，和宫廷仕女或《夜宴图》里的人物都不一样。

他们倒是使我们想起《伏生授经图》，比较接近文人或民间的风格，比较朴实。

罗汉们的表情很夸张，有点像我们现代漫画或卡通里的人物。

所以，我们也可以观察一般人的表情动作，用比较夸张变形的方法画出来，看起来会很有趣呢！

花鸟画

黄筌的《写生珍禽图》卷

四川西蜀的另一位有名的画家，是以画花鸟出名的黄筌。

五代以后，一方面，有画家去画非常高大雄伟的山水画；另一方面，也有画家去画非常细致的花鸟、草虫。

你想想看，一幅大山水画，里面有巨大的山脉、河流，有大树、房屋和人物，真是复杂得不得了。

可是，如果你很专心地去看一只小鸟，看它的喙，它小小的眼睛，它身上色彩艳丽的羽毛，它的脚爪，会发现那也是一个复杂的世界呢！

山水画很大，好像要把宇宙世界都画进去。花鸟草虫的画很小，却也同样画出大自然的复杂性。

黄筌留下一张写生的画稿。画中有各种鸟，有停止的鸟，有飞翔的鸟，有低头吃东西的鸟，姿态都不一样。

他也画了各种乌龟，画了天牛、蝗虫、蝉、蜜蜂、果蝇等。

这些昆虫那么小，我们从来就不曾注意，黄筌却很认真地观察它们。黄筌的这幅写生画稿，看起来像是科学家的生物研究报告，有一种科学的精神在里面。

可见，画画的成就是多方面的。荆浩画非常巨大的山水画，他看不见山中的小昆虫。黄筌却不看大山，专注地研究小鸟、小虫。结果，他们都成了大画家呢！

我们如果是住在城市里，看大山大河的机会比较少，不妨也用黄筌的办法，在家中养一些小动物，拿它们做写生的对象。它们也会使你觉得：即使在一个小小的昆虫身上，也有很多东西好观察的！

黄筌的花鸟草虫画，在宋朝非常流行，也变成中国绘画中很重要的一种题材。

黄居寀的《山鹧棘雀图》轴

在古代，绘画常常是一种家族世袭的职业。主要是因为，越到后期，绘画的技巧也越复杂了。发明了某一种特别画法的画家，常常把这种技法当作秘密，不传授给别人，只教给自己的儿子。

所以，唐宋时代，中国画家父子相传的例子很多。

黄筌的几个儿子都继承了父亲的绘画才能。他们也都在宋朝宫廷

黄居寀 山鹧棘雀图轴
五代 绢本设色 纵99厘米 横53.6厘米
台北故宫博物院藏

中成为著名的画家。

台北故宫博物院现在藏有黄筌最小的儿子黄居寀的一幅名作《山鹧棘雀图》。

这张画，前方山石上有一只鹧鸪鸟，后方荆棘树叶间有一群麻雀，所以合称为“山鹧棘雀”。

黄居寀受到他父亲黄筌的写生训练，所以对鸟类的动态掌握得很好。

我们可以拿这张画中麻雀的各种姿态，和黄筌的写生画稿比较一下，就立刻可以看出他们父子二人的继承关系。

因此，在唐宋以后，中国的绘画最讲究“师承”。所谓“师承”，也就是说，你的画法是从哪一位老师继承来的。

因为绘画的技法越来越复杂，学习绘画的人，在创新之前，必须先学习前人的成就，继承传统。这也就是唐宋以后画派兴盛的原因罢。

这张《山鹧棘雀图》，画面非常安静，画的好像是一个完全没有人到过的幽静山谷，竹叶掉落地上和鸟雀的啼叫，是仅有的声音。

《丹枫呦鹿图》轴

另外还有一张描画幽静森林的作品，叫《丹枫呦鹿图》。

[左图] **五代人 秋林群鹿图轴**
绢本设色 纵118.4厘米 横63.8厘米
台北故宫博物院藏
[右图] **五代人 丹枫呦鹿图轴**
绢本设色 纵118.5厘米 横64.6厘米
台北故宫博物院藏

这张画非常特别，看起来不像是唐宋时代的中国画。

它用的勾勒线条比较少，却使用了许多类似西方的光影来表现鹿的立体感。

一群鹿在树林间穿梭，有的低头吃草，有的闲适地走来走去，有的则静静地站立着，好像在听树林间某处传来的声音。

红色的枫树像花朵一样地张开，一层一层的，在秋天阳光的照射下，色彩也特别富于变化。

这张画，不知道是什么人画的。画风相同的，在故宫博物院里还有一张。

有人推测那是五代到宋代这一段时间的作品，也有人认为可能是中亚进贡来的外国画呢。

总之，在唐宋时期，中国画家开创了很多不同的绘画技法，也吸收、包容了不少外国传来的画风，因此，在绘画形式上特别多样化。

也许，我们不应该只用一种形式来认定中国画罢。

宋

—— 文人社会的“格物”精神使宋代绘画艺术登峰造极

北宋

宋代的哲学被称为“理学”。理学中有一派特别重视儒家的“格物”。

所谓“格物”，也就是对每一件事物，都用非常认真的方法去分析和研究，去找出构成这件事物的“道理”。

例如一朵花。我们第一眼看它，它只是有颜色，有香味的一朵花。我们心里觉得花很好看。

但是，如果你仔细观察，你就会发现，即使是一朵很小的花，也有复杂精密的结构和组织。它的花瓣，有一定的生长秩序。它的花蕊，雌蕊和雄蕊都不相同。叶子的脉络，也有一定的排列方法。

宋代将这种“格物”精神应用在绘画上，就产生了许多非常写实的、严谨的花鸟画。

花鸟画

“花鸟画”是一个总称，事实上却包括了植物、动物、昆虫等自然界各种生物现象。

[左图] **崔白 双喜图轴**
宋 绢本设色 纵193.7厘米
横103.4厘米 台北故宫博物院藏

[右图] **王凝 子母鸡图册页**
宋 纸本设色 纵42.4厘米
横32.3厘米 台北故宫博物院藏

崔白的《双喜图》轴

北宋初期的画家崔白，就是一个重视写生的画家。

他画过一幅《双喜图》。画面前方是一只皮毛褐黄的兔子。它停在草坡上，仿佛听到什么声音，忽然回头观看。顺着兔子的视线看过去，一株枯树上正有两只长尾巴的绶带鸟，呀呀叫着飞下来。

这张画，兔子和喜鹊都非常写实，是经过长时间观察和写生的收获。

兔子和鸟的彼此呼应，也完全靠动作和姿态表达出来。

枯叶、草、竹叶，都向一个方向翻飞，呈现一片秋风中的萧瑟景象。

这种写实的功力，以及对自然界的精密观察，使宋代的花鸟画成为中国绘画史的瑰宝。

赵昌的《岁朝图》轴

宋代花鸟画方面，有名的画家很多。

像赵昌，他用色艳丽，常常以红色和绿色强烈对比，造成画面丰富华丽的效果。

他的《岁朝图》，画一大丛盛开的水仙，一片葱绿的叶子，山石之后遮遮掩掩的却是满树红花，艳丽无比。

宋代以花鸟著名的画家还有李迪、王凝、宋徽宗、林椿、李嵩等。他们甚至以一生的时间，专注于画某一种鸟类，或某一种花果。

他们不断观察研究，用“格物”的精神，为大自然中的花鸟、草虫留下最美丽的神态。

宋代宫廷中更有许多没有留下名字的画家，他们被称为佚名宫廷画家。他们画水中的荷花，画红蓼草，画蝴蝶飞舞，画芙蓉盛开，画冬天雪地里的梅花……在一张不大的画面上，用非常精细的笔法，画出大自然小角落里的美丽生命。

宋代画家的花鸟画，赢得了全世界的赞誉，代表着中国古代花鸟画的黄金时代。

［左图］**赵昌 岁朝图轴**
宋 绢本设色 纵103.8厘米
横51.2厘米 台北故宫博物院藏

［右图］**赵佶（宋徽宗）腊梅山禽图轴**
宋 绢本设色 纵83.3厘米
横53.3厘米 台北故宫博物院藏

[左上图] **李迪 鸡雏待饲图册页**
宋 绢本设色 纵23.7厘米 横24.6厘米
北京故宫博物院藏

[右上图] **李嵩 花篮图册页**
宋 绢本设色 纵19.2厘米 横26.1厘米
上海博物馆藏

[左下图] **林椿 果熟来禽图册页**
宋 绢本设色 纵26.5厘米 横27厘米
北京故宫博物院藏

宋代的花鸟画家，通常用一生的时间，专注地去画一种花卉或禽鸟，用“格物”的精神，为大自然中的花鸟、草虫留下美丽的记录。

唐代是一个武功强盛的时代，所以，唐代的宫廷画家多半画政治人物和贵族人物，或画与战争有关的马。

宋代重视文化，不重视武力。宋代的宫廷画家就努力于描画世界上和平美丽的一面，留给世人的都是花的色彩和芬芳。

你喜欢唐代的画呢?还是宋代的画?

很难说，对不对?

好像每一个时代都画出了他们自己的特色，各有各的长处。

大山水

宋代的“格物”精神从细小的一只鸟、一朵花开始，最后扩大成为对宇宙自然全面的观察研究，因此也产生了中国绘画中最好的山水画。

我们前面提过，山水画到了五代，经过荆浩、关仝、董源和巨然四个人的努力，已经到了非常成熟的阶段。

北宋的山水画经过写生的观察训练，对每一种岩石的质地、皴法都做了研究，对水的波纹、树叶的构成，甚至季节的变化，都仔细加以观察分析，所以才有那么非凡的成就。

李成 寒林平野图轴
宋 绢本水墨
纵137.8厘米 横69.2厘米
台北故宫博物院藏

李成的《寒林平野图》轴

李成是专门画“寒林”的。

所谓“寒林”，就是冬天枯老的树木。树叶落光了，枝干非常劲健有力。

李成住在山东，所以他画的多半是山东这一带的丘陵。

范宽的《谿山行旅图》轴

另一位画山水的名家是范宽。

范宽住在陕西，所以他常常画关中平

原上非常高大的山。

他有一张有名的画叫《谿山行旅图》。

这张画的正中央，有一座方方正正的大山站立着，看起来非常雄伟壮观。

这座大山用细点的皴法来表现岩石的坚硬粗糙。

山顶上密集着小树。

大山右边有一道白色的瀑布，像一条细线，从高处垂直落下来。

你见过瀑布吗？

瀑布是一道泉水从高山悬崖上直落下来。因为速度很快，水到了下面已经飞散成细小的雾气。

所以，这张画上，瀑布下方是一片茫茫的水气，隔开了后面的大山和前面的山丘。前面的山丘是距离我们比较近的地方。山丘右上方

范宽 谿山行旅图轴及局部
宋 绢本水墨 纵206.3厘米
横103.3厘米 台北故宫博物院藏

北宋的山水画，经过写生的观察训练，对每一种岩石的质地、皴法，都做了研究，也是对大自然的另一种“格物”的精神。

有一些楼房的屋顶，四周被树木包围着。山丘下方是一条道路。我们可以看到右边有一队驴子，正驮着货物，由人驱赶着向前行走。

这张画是中国山水画里最有名的杰作之一。画面很大，山势雄伟，使人看了，觉得有一种顶天立地、堂堂正正的样子。

这虽然是一幅大画，可是在描写细致的人物、驴子、建筑物时，却又一点也不马虎。这就是宋人“格物”的精神罢。

北宋的山水，多半和范宽的《谿山行旅图》一样，都是大山当中立起，堂堂正正，气势特别雄伟。

燕文贵的《溪山楼观图》轴

燕文贵的《溪山楼观图》，画的也是一层一层的大山往上堆积，使人忍不住要仰头去观看。

可是在这样一重一重的大山里，也有细小的人物、车马在行走，也有很细致的线条精心画出来的房子。

郭熙的《早春图》轴

我们再看另一位画家——郭熙。

郭熙是北宋中期的画家。他的皴法也很特别，被称为“卷云皴”。

我们来看一看他的名作《早春图》。

《早春图》描写的是春天刚刚来临，冰雪融化，山里有一种暖气在流动，树木都等待着要发芽了。

郭熙用一种弯曲的皴法来画岩石，使岩石看起来像云一样，可以流动。

[左图] **燕文贵 溪山楼观图轴** 宋 绢本水墨 纵103.9厘米 横47.4厘米 台北故宫博物院藏
[右图] **郭熙 早春图轴** 宋 绢本水墨 纵158.3厘米 横108.1厘米 台北故宫博物院藏

郭熙的“卷云皴”，仿佛云岚在运动，特别富有动感。

他画树枝的方法，我们叫做“蟹爪”。

你看过螃蟹的爪吗？你觉得郭熙画的枯树枝，弯弯曲曲，像不像蟹爪？

郭熙留下了许多有名的画。他不只是一位大画家，还写了很多关于画画方法的文章，告诉后人如何看一座山：从高的地方看，从低的地方看，从远的地方看，从近的地方看，把各种不同角度的山观察过后，再画在一起。

他也要后人不但要在春天、夏天看山，也要看秋天、冬天的山，把山在不同季节的变化，都应用到画里去。

郭熙对于画画，的确做了很多研究。我们看过他的画，不妨也拿出他的书来读一读。他的书可以使我们更了解他的绘画作品。

王诜的《渔村小雪图》卷

宋朝人的确对各种不同季节的山都有研究。例如，一个叫王诜的画家，就留下了一件《渔村小雪图》。

冬天的山，好像被乌云笼罩，又被雪覆盖。树木都枯干了，只有松树特别有精神。

许道宁的《渔父图》卷

许道宁的《渔父图》，也是北宋山水画中的杰作。

这张画，画的是水边渔父在捕鱼，有四艘渔船在水中。

江边的山丘，许道宁用很多直立起来的线条去表现。山峰和江边的水，成垂直的效果，使山峰看起来特别陡立。

你大概已经了解什么叫皴法了罢。

王诜 渔村小雪图卷 宋 绢本水墨 纵44.5厘米 横219.5厘米 北京故宫博物院藏

许道宁 渔父图卷
宋 绢本淡设色 纵48.9厘米 横209.6厘米 美国纳尔逊—阿特金斯美术馆藏

许道宁画山的皴法都是很长的直线条，和范宽《谿山行旅图》中短小的点皴很不一样。

赵令穰的《湖庄清夏图》卷

赵令穰的《湖庄清夏图》，就完全是表现夏天的景象了。

你看：一片荷塘，全是圆圆的绿色荷叶。

柳树枝条随风摇摆。空气中有一种水雾聚集的湿气，在树林中流动。

你比较一下，就会发现，王诜的《渔村小雪图》和赵令穰的《湖庄清夏图》，在季节上的表达完全不同。画家对天气变化下的景物，观察得多么仔细！

李唐的《万壑松风图》轴

北宋最后一个画山水的有名画家是李唐。

他有一张《万壑松风图》，是代表北宋末期的一件名作。

李唐创立了一种特别的皴法来画岩石，叫做“斧劈皴”。

用这种“斧劈皴”画出来的石头，看起来非常坚硬结实，真的像

赵令穰 湖庄清夏图卷 局部 宋 绢本设色 纵18厘米 横165厘米 台北白云堂藏

李唐 万壑松风图轴及局部 宋 绢本淡设色 纵188.7厘米 横139.8厘米 台北故宫博物院藏

"斧劈皴"，使李唐的石头看来特别坚硬。

用斧头劈出来的一样。

"斧劈皴"的画法，是把毛笔弄干，横向在纸上刷出来的。

这种皴法你也可以试试看；还可以到山里找找看，是不是有些岩石果然很像斧劈皴。

《万壑松风图》是描述大山里松树被风吹得沙沙作响的景象。

这张画画完没有多久，北宋就灭亡了，许多人往南方逃难，李唐也跟着到了南方。据说，他到南方以后，年龄已经很大，可是仍然勤于作画，并且影响了很多南宋的年轻画家呢！

南宋

河流山水

南宋时代，北方的领土被金人占据，都城迁到江南的杭州。

中国南方多河流，地势比较低。因此，南宋的山水画就产生了和北宋很不一样的风格。

北宋的范宽、燕文贵，都喜欢画高大的山峰。

南宋的画家喜欢画河流，画水，画很秀气的山。

北宋画家因为要画大山，所以很多画都是直立式的，我们称为“立轴”。

南宋为了要表达河流，因此常常画成横的样式，我们称为“横卷”或“长卷”。

夏珪的《溪山清远图》卷

南宋有名的山水画家夏珪，画的《溪山清远图》就是一幅横向的长卷。

这张长卷描写一条溪流两岸的景象。他用的皴法也是“斧劈皴”，这是受李唐的影响。只是，夏珪把斧劈皴加长了，看起来更能表现岩石的体积。

他在很多画里，用很淡的墨，描画笼罩在烟雾中的山。

如果你到过江边，看过江水在雾气中的景象，你就会觉得夏珪这张《溪山清远图》，真是画得生动极了。

夏珪 溪山清远图卷 局部 宋 纸本水墨 纵46.5厘米 横889.1厘米 台北故宫博物院藏

马远的《踏歌图》轴和《山径春行图》册页

因为江南多河流，南宋的画家对河流的水波特别注意。

你看，南宋的大画家马远，就用了十二幅画，描写水在不同地方、不同季节的波纹：有微风吹动的平缓水波，有阳光闪耀的湖水，有激流溅射起来的波浪。

这就是宋人的“格物”精神。

他们不放弃对任何一个细节的观察。因此，我们认为完全一样的“水”，到了马远的笔下，竟然也千变万化了。

马远用这样认真的研究精神，创作了许多珍贵的画。

他的《踏歌图》，描写中国古代农村百姓一面踏步、一面唱歌的风俗。

这张画后方背景部分的山峰，都非常陡峭，是用斧劈皴画出来的。

我们很容易可以看出来，南宋马远画的山，和北宋范宽的山很不一样。北宋的山巨大雄壮。南宋的山很秀气，画面上多了很多的

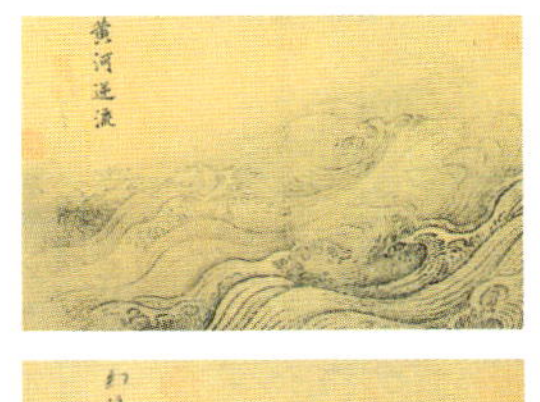

马远　水图卷(共十二段，选四段)
宋　绢本淡设色　纵(每段)26.8厘米　横41.6厘米
北京故宫博物院藏

因为南宋建都临安，画家接近的多是水乡泽国，“水”的主题逐渐替代了北宋的“山”的主题。

空白。

马远画的树也很特别。他喜欢把树枝拖得很长，所以有人称他画的树枝为“马拖枝”。

这种细长的拖枝，使树看起来好像在风中摇摆。

他画的《山径春行图》，描写一个诗人，在春天的山路上行走。野花四处飞落，碰触到他的袖子。山里的鸟雀，因为看到有人来了，纷纷啼叫着躲避。

这张画上，不但画了画，也把这种很诗意的感觉用文字写在画上。

你可以看到，画的右上方有两行诗，写的是“触袖野花多自舞，避人幽鸟不成啼”。把诗写在画上，叫做“题画诗”。这种

[左图] **马远 踏歌图轴**
宋 绢本水墨 纵192.5厘米 横111厘米
北京故宫博物院藏

[右图] **马远 山径春行图册页**
宋 绢本设色 纵27.4厘米
横43.1厘米 台北故宫博物院藏

中国的绘画，从南宋开始，有了题画的诗句出现。

“题画诗”是宋朝人的发明。中国人因此创作了世界上唯一把诗和画结合在一起的形式。

从此以后，中国的画家，不但要会画画，也还要会作诗。要把诗题在画上，书法也要很好看。因此，“诗”、“书”、“画”三样都要练习，做画家越来越难了呢！

马麟的《静听松风图》轴

马远的儿子马麟也是南宋有名的画家。

他从他父亲那里学习到许多技法，加上他自己的努力，创作了很好的作品。

他画的《静听松风图》，是南宋的一张名画。

画面上有一个文人，坐在一棵老松树下，侧耳倾听。松树的树梢上，松叶和长长的葛藤，都被风吹起。

画面上当然是听不见声音的。但是，经过马麟非常巧妙的安排，我们透过画中人物的表情，松树的姿态，好像也真的听见风从松叶中吹过的声音了。

马麟 静听松风图轴
宋 绢本设色 纵226.6厘米 横110.3厘米
台北故宫博物院藏

人物画

城市居民生活景象

·《闸口盘车图》卷·

我们谈了很多宋代的花鸟画、山水画，现在再来看看五代与宋的

五代人 闸口盘车图卷 绢本设色 纵53厘米 横119.5厘米 上海博物馆藏

人物画。

宋代由于经济繁荣，商业发达，所以出现了人群聚居的城市。

因此，描绘城市居民生活景象的画，就成为宋代绘画的一个特色。

有一张《闸口盘车图》，就属于这一类的作品。

这一张画，描写利用水闸转动盘车来磨面的景象。这幅画不但说明了宋代前后水利机械的技术，而且画面上还有许多人物、船只和车辆的活动：一种商业繁荣的城市景观，一一都在画中出现了。

· 张择端的《清明上河图》卷 ·

宋代描写城市居民生活最有名的一张画，就是张择端的《清明上河图》。

清明是春天的清明节，上河是指宋代首都汴京（今天的开封城）。

这幅画非常长。画卷从郊外开始：一些春天刚刚抽芽的老树，围绕着村落房屋，有一些人马在赶路。

逐渐靠近河边，有大船在装货、卸货，有供旅客喝酒吃饭的酒

张择端 清明上河图卷

宋 绢本淡设色 纵24.8厘米 横528厘米 北京故宫博物院藏

宋代的城市繁荣，产生了许多表现城市生活的写实绘画。

馆。房屋也从郊外的草房，变成瓦片屋顶的房子，感觉上更近城市了。

巨大的商船要穿越拱桥，桥上挤满了行人，桥的两边还有商贩，有挑担的商人，有驴马驮着大袋的货物。

然后城门出现了。出入城门的，有许多牛车，还有似乎是和塞外做生意的骆驼队伍。

城门里有高大的楼房和许多商店。除此以外，还有各种摊贩摆在路边。

这张《清明上河图》像电影一样，非常详细地记录了宋朝京城的生活，连每一家商店卖的不同货物，都可以分辨得出来。

我们今天如果要把我们居住的城市，一点不遗漏地画出来，可能是一件非常困难的事罢。

所以，每一个人看到张择端这卷《清明上河图》，都不禁肃然起敬。因为画中任何一个小部分，可能都要花很长一段时间去画。何况又是这样长的一卷画，画中有上千上百个人物，形容这幅画耗掉张择端一生的时间，也不算过分罢！

· 李嵩和苏汉臣的《货郎图》 ·

宋代表现城市生活的人物画，还有李嵩和苏汉臣喜欢画的《货郎图》。

什么叫做“货郎”呢?

“货郎”是一种商人。他一个人，身上背了各种日常用的货物，例如小孩的玩具啦，帽子啦，手巾啦……跑遍城市和郊外各处去贩卖。

小孩一听到货郎来了，都会很高兴，围绕着货郎，好奇地东看西看。

一张货郎图，也是要在画面上画上千百种不同的日常用品，画家非有很好的观察力不可。

这种画，我们现在也可以用来研究宋代人的用品。

一般人民画

· 苏汉臣的《秋庭戏婴图》轴 ·

苏汉臣除了画“货郎”之外，也很喜欢画儿童。

李嵩 市担婴戏图册页
宋 绢本圆幅 淡设色 纵25.7厘米 横27.4厘米
台北故宫博物院藏

他的《秋庭戏婴图》很有名，描写的是两个儿童在院中玩耍的情形。

庭中有一块很高的奇石假山，旁边有一株芙蓉花。

· 李唐的《灸艾图》轴 ·

我们发现，宋代的人物画，不像唐代，画的不再是皇帝、贵族，而是城市的一般市民，像“货郎”、“儿童”，或李唐《灸艾图》中替病人治病的医生等等。这些题材，唐代很少见，却是宋人特别喜欢画的。

佛像、仙人平民化绘画

· 梁楷的《泼墨仙人图》册页和《李白行吟图》轴 ·

宋朝人也画佛像、菩萨、罗汉，可是画起来已经是一般老百姓的样子了。

苏汉臣 秋庭戏婴图轴
宋 绢本设色
纵197.5厘米 横108.7厘米
台北故宫博物院藏

李唐 灸艾图轴
宋 绢本设色
纵68.8厘米 横58.7厘米
台北故宫博物院藏

南宋有一位叫梁楷的画家，画了一张非常有趣的“仙人”。

这个仙人一点也不威严，倒像一个喝醉酒的人：大大的肚子，秃头，脸上一副糊涂样子，看起来很可爱。这个“仙人”是很随意地用墨泼在纸上画的，不用工整的线条，所以一般人就叫他“泼墨仙人”。

梁楷的这一类画很多。他还画了一张《李白行吟图》。

你看，唐朝有名的大诗人李白，正一面走着，一面吟诗呢。

梁楷只用一两笔的线条，就把李白的样子画出来了。

这种画用笔不多，看起来很简单，其实并不容易。画家要有很准确的观察力，才能够用很少几笔，呈现出对象的神态。

这种画在宋代以后慢慢流行起来，叫做“写意画”。另外一种很仔细工整的画，就叫做“工笔画”了。

文人画

在唐朝的时候，大部分的画家都是宫廷里的画家，像阎立本、张萱、周昉，他

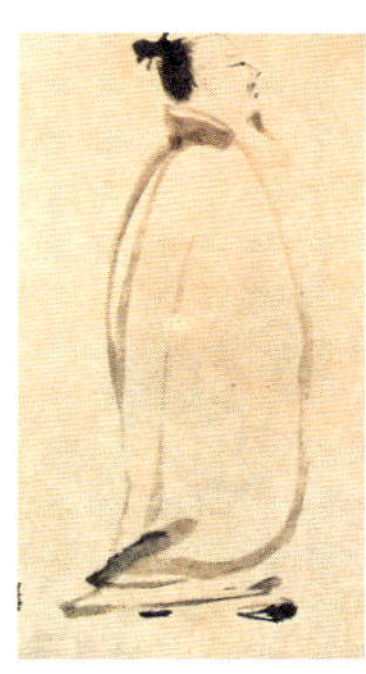

梁楷 李白行吟图轴
宋 纸本水墨
纵81.2厘米 横30.4厘米
日本东京国立博物馆藏

南宋出现了一种以泼墨来表现的“写意画”。

梁楷 泼墨仙人图册页
宋 纸本水墨
纵48.7厘米 横27.7厘米
台北故宫博物院藏

们一生以绘画为职业，技巧非常好，常常接受皇帝的命令画画。皇帝要他们画什么，他们就画什么。

到了王维的时候，他就摆脱了宫廷的束缚，也不为皇帝画画了。

像王维这样的画家，并不以绘画为一生职业。他本身读过很多书，学问也很好，又是有名的诗人，绘画只是他的一种兴趣。

不以绘画为职业的画家，在艺术表达上，往往比宫廷画家要自由得多。

这种自由自在的绘画方式，由王维开始；到了宋朝，又得到了苏东坡、文同几个文人的大力提倡，就形成一股很大的势力。

这些画家都是文人，爱读书，会作诗，会写字，精通“诗、书、画”三样。因此，他们的画就被称为“文人画”了。

这些文人画家，因为不以绘画为职业，所以对绘画的技巧比较不在意。他们不喜欢用太复杂的颜色，常常只用淡墨，在纸上画画，像写书法一样。

他们也大多不喜欢政治，不喜欢宫廷里那种表现帝王贵族生活的人物画。

大自然中的兰、竹、梅

他们喜欢接近大自然。

他们觉得大自然中最美的，并不是那些特别艳丽的花朵。他们反而更喜欢安静的竹子、兰花、梅花。

他们用墨来画竹子的枝干，画片片的竹叶，就像写字一样。

他们画画不用复杂的工具，常常只是一支简单的毛笔。他们不强调特别的技巧，却要求画家要多读书，培养高远的意境，使笔下的竹子有清高的精神。

所以文人画家常说："胸有成竹。"

"胸有成竹"，就是平日已经对竹子有很多的体会。竹子在风中摇曳的样子，竹子刚刚发芽的青绿，竹叶的重叠等等，早在画家心里留下深刻的印象，活跃在画家胸中。画家要画的时候，可以不假思索，很快就画了出来。

·文同的《墨竹图》轴·

文同的墨竹，非常有名。

他在很大的一张画纸上，只画一枝倒生的竹子。竹枝弯曲，末梢的地方却又向上生长，看来十分刚劲有力。

竹叶四面张开，浓淡相间，好像有许多光影层次。

外国人看了这种完全以墨画出来的中国画，都很惊讶：画画怎么可以只用一种颜色呢?

你有没有试过只用黑色画画?是不是很困难?

可是宋代的文人画家，却认为墨里有很多不同的变化，浓墨、淡

赵孟坚 墨兰图卷 宋 纸本水墨 纵34.5厘米 横90.2厘米 北京故宫博物院藏

扬无咎 四梅图卷 局部 宋 纸本水墨
纵37厘米 横358.8厘米 北京故宫博物院藏

文人最喜欢兰、竹、梅，这些清幽的植物也正好适合表现他们拿手的书法线条。

王庭筠 枯槎幽竹图卷 金 纸本水墨 纵38厘米 横69.7厘米 日本藤井有邻馆藏

宋代的文人，认为"墨"并不是"黑"，"墨"和"水"交融，也和色彩一样，可以做出许多浓淡不同的层次。

文同 墨竹图轴
宋 绢本水墨 纵131.6厘米 横105.4厘米
台北故宫博物院藏

墨、干墨、湿墨，在纸上呈现的效果都不一样，也和色彩一样丰富。

因此，文人画家说："墨分五彩。"这也就是说：墨里是有很多色彩的。

你同意这个说法吗？

你要不要试试看：用毛笔蘸不同浓淡的墨，在宣纸上画些图画。

宣纸特别容易吸水。水分和墨在纸上发生的变化，也很有趣。

文人画家很喜欢画石头，画竹子，画梅花，都是因为这几种题材特别容易表现水墨的特质，也可以表现文人品格的高尚。

水墨山水

·米芾、米友仁的米家山水·

更有很多文人画家，爱用这种水墨来画山水。

像米芾和他的儿子米友仁，都是宋朝有名的文人画家。他们用浓淡不同的墨，慢慢渲染出云的流动，以及云雾中的山水，效果非常好，被人称为"米家山"。

梁楷的《泼墨仙人图》和《李白行吟图》，用的也是这一种方法。

·牧溪的水墨山水·

还有牧溪，跟梁楷一样，也用这种水墨渲染的方法画了很多山

米友仁 云山图卷 宋 绢本设色 纵43.4厘米 横194.3厘米 美国克利夫兰美术馆藏

水。牧溪先把纸张弄湿，然后用墨画上去。墨很快被水分吸收，在纸上造成晕染的效果，所画的山水就仿佛全在云雾中了。

文人画被文人提倡之后，中国的绘画发生了两个明显的变化。

第一，原来的人物画消失了，画家变成以画山水、兰竹为主。

第二，色彩浓艳的画也消失了，代之而起的是水墨画。

从宋朝以后，中国绘画的主流是“文人画”。因此，到现在为止，你看到的中国画，大部分都是山水，而且是用水墨来画的。

宋朝的文人画对元朝的影响也非常大。

宋亡后的文人画家

南宋灭亡以后，北方的蒙古人占据了中国，建立了元朝。

元朝的政府并不重视文人，所以很多文人就隐居在山里，每天写诗作画，产生了很多优秀的作品。

郑所南的《墨兰图》卷

有一个叫郑所南的文人，感叹国家灭亡，好像植物失去了根一

牧溪 渔村夕照图卷（潇湘八景之一） 局部
宋 纸本水墨 纵33厘米 横112.4厘米
日本东京根津美术馆藏

（传）苏轼 竹石图卷 局部
宋 绢本水墨 纵28厘米 横105.6厘米
中国美术馆藏

样。他画的兰花，都不画根，也不画土，代表他失去国家的心情。

龚开画鬼——《中山出游图》卷

有一个叫龚开的画家，喜欢画骨瘦如柴的瘦马，瘦得肋骨一根根地露出来。他的画，看起来有很强的讽刺意味。

龚开也喜欢画鬼。他画的一卷《中山出游图》非常出名，现藏在美国华盛顿弗利尔美术馆。

钟馗是中国民间传说中的一个奇特人物。据说他专门吃鬼，所以鬼怪看到钟馗都怕得不得了。

这张龚开画的长卷，画的是钟馗的妹妹出嫁。钟馗坐在很简陋的轿子上，由两个小鬼抬着。后面另一乘轿上坐的是钟馗的妹妹。她脸上涂得黑黑的，很有趣的样子。

后面跟了一群女仆和小鬼，肩挑嫁妆、酒瓮，形形色色。每一个小鬼都相貌奇特，表情滑稽可爱。

宋元交替的时候，中国民间的戏剧已经很发达，“钟馗嫁妹”就

郑思肖（所南） 墨兰图卷
宋 纸本水墨
纵23.2厘米 横55.3厘米
美国耶鲁大学艺术陈列馆藏

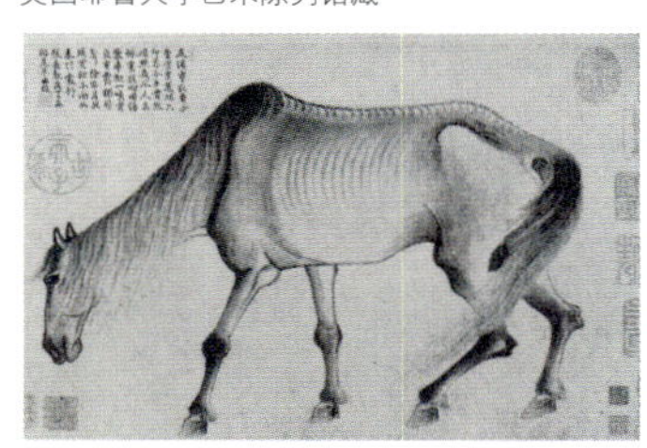

龚开 骏骨图卷
元 纸本水墨
纵30厘米 横56.9厘米
日本大阪市立美术馆藏

元代画家常常在画中，表现一种亡国的悲哀或愤怒。

龚开 中山出游图卷 元 纸本水墨 纵32.8厘米 横169.5厘米 美国弗利尔美术馆藏

是当时流行的一出戏。龚开以这样一个题材来画画，当然也有讽刺的意味。

大部分不愿意跟元朝政府合作的画家，心情都很苦闷，所以就发展出一套特殊的绘画，用来纾解心中的悲哀。

在这幅《中山出游图》中，许多小鬼的造型都充满了想象力，很受现代人喜爱，在古代中国画中是少有的佳作。

钱选和赵孟頫

宋朝亡了之后，在南方领导绘画界的两位文人，一位是钱选，另一位是赵孟頫。

· 钱选的复古画——《羲之观鹅图》卷和《贵妃上马图》卷 ·

钱选在宋朝亡了以后，就隐居了起来，不肯出来做官。

他倡导大家临摹唐代的名作，恢复唐代的绘画风格。

有人认为钱选这种“复古”的主张，是因为宋朝灭亡了，所以要借绘画来强调文化传统，在精神上抵抗蒙古异族。我们不知道这样的说法对不对。可是，宋朝灭亡这件事，的确对钱选有很大的影响。

他画过《羲之观鹅图》，描写的是晋朝的大书法家王羲之，从鹅的动作里领悟书法的道理。他还留下一张《贵妃上马图》，据说是临摹唐代韩幹的作品。从这些作品中，可以看出，钱选在宋亡之后，的确很想在绘画中保存古代传统的文化。

钱选在处理这些传统题材的时候，技法上也深受唐代绘画的影响。《贵妃上马图》，无论线条、人物造型、色彩，都很接近唐代宫廷画的风格。

钱选提倡复古，所以也恢复了唐代盛行的青绿山水画法。他在《羲之观鹅图》中，就用了青绿色。

· 写生画 ——《桃枝松鼠图》卷 ·

不过，我们不要误会钱选是一个只知复古的画家。他画了很多非常好的写生花果。他的《桃枝松鼠图》，捕捉了小动物的神态和桃实的色彩。那是一幅观察入微的杰作。

钱选 羲之观鹅图卷

元 纸本设色 纵23.1厘米 横92.3厘米

美国纽约大都会美术馆藏

钱选 贵妃上马图卷

元 纸本设色 纵29.5厘米 横117厘米

美国弗利尔美术馆藏

钱选 桃枝松鼠图卷

元 纸本设色 纵26.3厘米 横44.3厘米

台北故宫博物院藏

钱选 浮玉山居图卷 元 纸本设色 纵29.6厘米 横98.7厘米 上海博物馆藏

· 山水画 ——《浮玉山居图》卷 ·

钱选的山水画也很有独创性。他的《浮玉山居图》，画的是他隐居地附近的风景。他画的岩石层层堆积，成立方形的结构，而且有非常独特的皴法，对后来的元朝山水画，也有很大的影响。

· 赵孟頫的复古画 ——《调良图》册页 ·

和钱选同时的另一位画家是赵孟頫。

赵孟頫比钱选名气大得多。他的书法尤其流传得广，很多学写字的人都写过赵孟頫的帖。

赵孟頫本来和钱选一样，宋朝亡了以后就隐居在湖州，每天写诗画画，和文人们来往。但是，赵孟頫是宋朝皇帝的宗室，是赵匡胤的后代。因此，元朝政府就坚持要他出来做官。赵孟頫被逼，只有北上，在北方做官，一直到老死。

赵孟頫有一部分的画和钱选一样，很想恢复唐代及北宋初年的绘画风格。

他的一幅《调良图》，人物和马匹都用细致的线条勾勒，非常工整严谨，是受唐人绘画影响的作品。

[左图] **赵孟頫 调良图册页** 元 纸本水墨 纵22.7厘米 横49厘米 台北故宫博物院藏
[右图] **赵孟頫 古木散马图卷** 元 纸本水墨 纵29.6厘米 横71.5厘米 台北故宫博物院藏

赵孟頫画的马很有名，常常用一整卷画幅描写树林溪边的牧马，马匹各有各的神态，完全继承唐代画马的传统。

· 山水画 ——《鹊华秋色图》卷和《水村图》卷 ·

赵孟頫影响后代最大的，当然还是他的山水。

他的《鹊华秋色图》，描写的是山东济南郊外的鹊山和华不注山的风景。

这两座山，一座尖峭如正三角形，另一座圆圆钝钝，好像一个馒头。

赵孟頫非常写实的方法画这两座山。据说，到了清朝，乾隆皇帝到山东，看到这两座山，还特地叫人从京城找来这张画，认真地和眼前的风景做比较！

这张《鹊华秋色图》，用淡淡的红色表现了秋天的树林。

山脚下的水波、细竹，笔法都很自然随意。这种“自然”、“随意”的笔法，后来就成为元朝文人画追求的最高境界。

经过宋代非常工整仔细的写实风气之后，元代的文人，希望绘画可以更自由一点。

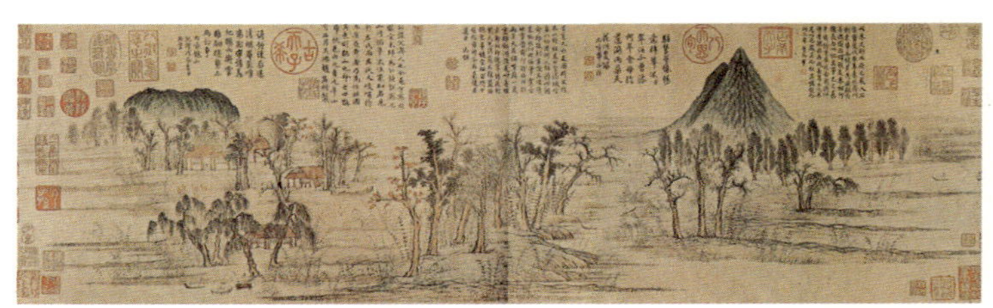

赵孟𫖯 鹊华秋色图卷
元 纸本设色 纵28.4厘米 横93.2厘米
台北故宫博物院藏

他们不一定画得非常像，却能在“自然”、“随意”中呈现特别的趣味。

赵孟𫖯另一张山水画《水村图》，也有这种意境。画中色彩用得比《鹊华秋色图》更少，几乎完全呈淡墨。

他画出了水岸边的渔村，丘陵起伏，小树苍茫，和宋代高大的山水相比，气势完全不同。

赵孟𫖯因为同时也是书法家，所以他常常在画上题诗，或写几句话，是文人画家“诗、书、画”三样都好的代表。

赵孟𫖯也和一般文人画家一样，常常画石头、枯树、竹子这些题材；一方面表达他喜爱自然界这些朴实清静的东西，一方面也可以发挥毛笔的书法特质。

他也认为，画竹子、枯木和写字完全一样，必须先把书法的基础练好，画画才能有笔墨的趣味和较高的意境。

赵孟𫖯的这些观念，对元代的文人画影响很大，所以有人认为他是元朝文人画家的真正领导者。

赵孟頫 水村图卷 元 纸本水墨 纵24.9厘米 横120.5厘米 北京故宫博物院藏

赵孟頫是文人画中，诗、书、画三样结合的最好代表。

管道昇、赵雍和陈琳

赵孟頫的妻子管道昇，也很会画画。她画的竹子特别清秀，有另一种风味。

赵孟頫又把绘画的技法传给了他第二个儿子赵雍。赵雍的山水、人物和马匹，也都画得很好，深受他父亲的影响，有唐人的风格。

赵孟頫的朋友陈琳，留下的是一幅《溪凫图》。

“凫”就是水鸭。这张画只画一只立在溪岸边的水鸭，线条非常朴拙，不像唐宋工笔画那样细致，却更生动有韵味。

近代的画家都没有他画得好。

画上还有赵孟頫的题字“陈仲美（琳）戏作此图”。

“戏作此图”，是说陈琳不那么在意工整不工整，只是为了游戏好玩罢了。这就是文人画所追求的“自然”和“随意”。

[左　图] **管道昇 竹石图轴**
元 纸本水墨 纵87.1厘米 横28.7厘米 台北故宫博物院藏

[右上图] **赵雍 挟弹游骑图轴** 局部
元 纸本设色 纵109厘米 横46.3厘米 北京故宫博物院藏

[右下图] **陈琳 溪凫图轴**
元 纸本设色 纵35.7厘米 横47.5厘米　台北故宫博物院藏

元

——四大画家笔下的宁静与动态、平凡和伟大

元四大家

元代有四个十分出色的山水画家，被称为“元四大家”。他们是：吴镇、黄公望、倪瓒、王蒙。

吴镇的《渔父图》轴——山水中的宁静

吴镇的生活很穷苦。他起初是靠替人算命来维持生活的；后来因为书画有名，才逐渐有人来求画。

他有一卷很有名的《渔父图》，用类似秃头的毛笔来画山，他画的山，有一种厚重的感觉。他又用秃点来画山头的小树、石上的青苔。画面非常安静：有一两艘渔船靠岸停泊，渔人在船上抱膝睡觉。

吴镇 渔父图轴
元 绢本水墨
纵176.1厘米 横95.6厘米
台北故宫博物院藏

元代的文人画家，大多是远离城市的隐士。

元朝的文人画家，像吴镇这样，大多是远离城市的隐士。他们不喜欢政治，不喜欢太吵闹的城市。他们住在安静的山水里，看山上的白云，

水中的游鱼，过着逍遥自在的生活。

元代的文人画也就是要把这种心情传达给看画的人。

在忙碌中生活的人，可以借着这些画，感觉到山水之美，重新得到心灵上的安静。

黄公望的《富春山居图》卷——平凡中的伟大

黄公望和吴镇一样，也在追求山水中的宁静。

在大自然的山水中住久了的文人画家，看到的是春夏秋冬四季的变化，是日出日落，是花开花谢，是叶子落了又重新发芽的景象。这些自然界的循环，逐渐使一个文人画家了解到，宇宙的一切变化是多么自然。

因此，宋朝亡了以后，原来很悲哀、很愤怒的文人，因为在山水中住久了，就慢慢从悲哀和愤怒中安静下来。

他们发现山水可以启发人的智慧，无论人间发生什么惊天动地的变化，山水都还是默默无语。

这种安静、平凡，就是元代文人画要追求的境界。

黄公望用一生来追求安静、平凡。

我们初看黄公望的画，觉得没有什么了不起，很平凡的样子。

可是，慢慢看下去，我们会发现："平凡"是一种智慧。有智慧的人都不炫耀自己，不夸张，不自大，好像自然中的山水一样。我们觉得山水伟大，山水却从来不发一言呢！

黄公望最有名的一幅《富春山居图》，是花好几年的时间才画成的。

他在富春江一带住了很久，对这一带的山峰、河流、房舍、树木都很熟悉，所以很容易就画出了景物的特色。然后，他又把这一卷很

黄公望 富春山居图卷 元 纸本水墨 纵33厘米 横636.9厘米 台北故宫博物院藏

长的画带在身边，随时加以修改。这种力求完美的态度，使这一卷看来平凡的画，变成了中国美术史上最伟大的作品之一。

《富春山居图》的用笔，比吴镇要流利得多，也更富变化。我们欣赏的时候，会觉得那些山峰有时靠近，有时推远，有时就在面前，有时又远在天边。

这种长卷形式的绘画，是中国人独有的创造，它非常适合画河流两岸的风景。

我们一路看下去，就好像坐在船上看风景，沿江两岸，都是黄公望画下的富春山景色。

黄公望这卷《富春山居图》，因为太有名了，后来就有不少人抢夺它，不少人伪造，更有人坚持死后要拿它烧来陪葬的。

很幸运的是，几百年来，这张画现在还完好地保存在台北的故宫博物院和浙江省博物馆，使我们可以看到黄公望“平凡”中的伟大作品

倪瓒的《容膝斋图》轴——简易中的静谧

元四大家的第三位是倪瓒。

倪瓒是一个古怪的画家，传说中有许多关于他的趣事。

例如，他非常爱干净，总是不断地洗澡、洗房子、洗家具，甚至连院子中的树也要洗。

倪瓒不仅讨厌政治，讨厌城市的热闹，甚至连人都不喜欢。他的画中从来不画人。

倪瓒的画，画面特别简单干净，常常只是一段山坡，一两株细细瘦瘦的树，一抹淡淡的远山。

他习惯用很干的毛笔，在纸面上擦出淡淡的墨痕。后来很多人

学倪瓒的画法，墨也用得很少。

有人形容这样的画叫“惜墨如金”，意思是说珍惜笔墨好像珍惜黄金一样。

倪瓒的画，给人一种寒冷寂静的感觉，比起吴镇和黄公望来，还要寂静荒疏得多。

元代的文人在山水里住久了，不食人间烟火，好像已经完全听不见城市人群吵闹的声音了。他们听见的，只是风声和水声。

倪瓒 容膝斋图轴
元 纸本水墨
纵74.7厘米 横35.5厘米
台北故宫博物院藏

王蒙的《具区林屋图》轴和《青卞隐居图》轴——山水中的动感

在绘画上，一种画风发展到极端，常常就会有另一种画风来制衡。

倪瓒之后，另外一位画家王蒙，就完全不同了。

王蒙是赵孟頫的外甥，因此在绘画上也受到赵孟頫的影响。

他的画，很不同于元代另外三位大画家的作品。

第一，他又开始用颜色了，甚至有时候颜色用得很多，很浓。

第二，王蒙的画比较复杂，画面很满，不像倪瓒留了那样多的空白。

我们来看看王蒙的名作《具区林屋图》。这张画，画面全是用很细密的皴法画出来的山石。这种皴法被称为“牛毛皴”，又多又密，好像画面都动了起来。

［左图］**王蒙 具区林屋图轴** 元 纸本设色 纵68.6厘米 横42.5厘米
台北故宫博物院藏
［右图］**王蒙 青卞隐居图轴** 局部

倪瓒的画面少到不能再少，王蒙恰恰相反，繁复浓密。元代的文人画，在各自的性情上，发展出了很多不同的特色。

他在画里画了很多有红色树叶的枫树，还用很多细线勾勒出水波纹。

我们站在这张画前面，一下子不知道要看哪里，好像到处都是好看的东西，令人目不暇给。

王蒙喜欢把画面拉得很长，使山峰一层一层，重重叠叠地向上升去。

他的《青卞隐居图》最有这种效果，画面被山堆满，好像一片正在运动的云。

元四大家，吴镇、黄公望、倪瓒都在追求山水的安静；唯有王蒙，不断地在很高很长的画面上，画不安定的、运动的山。

事实上，王蒙的晚年已经是明朝了，元代隐居的文人时代也结束了。

王蒙本人也和倪瓒不一样，他比较多地参与政治，也和社会有较多的来往，已经从山里走回社会，不再是一个真正的隐士了。明代以后的绘画，大都不再有文人隐士的画风，出现了城市居民的趣味。

王蒙 青卞隐居图轴 元 纸本水墨
纵141厘米 横42.2厘米 上海博物馆藏

明

——用入世精神来描绘社会的各种现象

市民绘画

元朝灭亡，元代文人崇尚隐逸的态度也改变了。

绘画不再只是描写安静的山水，画家开始注意在山水中生活的人了。

明代宫廷里当然还有一些画家，继续画跟宋代相似的花鸟画。

这些画家，受宫廷的命令，仍然忠实地模仿宋代的宫廷画，个人创作的自由非常少。可是，也有些宫廷画家，为了保有创作的自由，宁愿放弃宫廷里的职业，去过穷苦的日子。戴进就是其中的一位。

戴进的《渔人图》卷

传说戴进本来在明代的宫廷里，画了很多模仿宋代马远作品的画。后来他辞去了宫廷画家的职务，回到家乡，开始用比较自由的方法，画了很多家乡的景物。他画了河中沙洲间的渔船，渔船上有渔民很认真地工作，以及有人拿着箩筐站在水中捕鱼。

这样的画面，和元代文人画很不一样了。吴镇的《渔父图》是非常安静的山水；可是戴进的《渔人图》，画的重点已经不在山水，而是在山水中努力工作的渔人。

我们看了戴进的这一张画，不会有安静的感觉，只觉得画中好像充满了各种人的声音。明代城市生活又逐渐影响到画家，画家不再是隐士，他们比元代的文人画家，更重视描写生活的景象。

像戴进这样关心人民生活的画家，明代有很多。

吴伟的《渔乐图》卷

吴伟的一幅《渔乐图》，描写的也是渔民的生活。吴伟用笔比戴进更为率直大胆。呈现在画中的，有江边烟霭中的茅屋和渔船。渔船的桅杆高耸，船帆卸下，渔民闲坐在船上聊天。吴伟的毛笔线条很活泼奔放。这也是明朝画家一种普遍的现象。他们喜欢用饱含水分的毛笔，在纸上快速泼洒，造成一种水墨淋漓的效果。

和元代的文人画家比较起来，明代的画家有一种入世的精神，更具有人间性。

［左图］**戴进 渔人图卷** 局部 明 纸本设色 纵46厘米 美国弗利尔美术馆藏
［右图］**吴伟 渔乐图卷** 局部 明 纸本设色 纵27.3厘米 美国柏克利景元斋藏

周臣 流民图卷 局部
明 纸本淡设色
纵31.9厘米 横244.5厘米
美国檀香山美术学院藏

周臣的《流民图》卷

有一个叫周臣的画家，画了一幅《流民图》，描写大饥荒的情景：没有饭吃的百姓流亡在城市里，沦落为乞丐。

周臣替那些衣衫破烂、面目丑怪的老百姓画像，在中国绘画史上是很少见的例子。我们可以大概地了解到：明代以后，城市生活渐渐成为绘画的主题，宫廷贵族的画逐渐没落；文人画家不再隐居，开始更关心现实的生活，所以社会的各种现象，都一一在画家的画中出现了。

文人画

模仿、创新的沈周和文徵明

当然，在元代十分盛行的文人画，并没有因此消失。

有一些明代的画家，十分崇拜黄公望和吴镇。他们以黄公望、吴

沈周 策杖图轴 明 纸本水墨
纵158厘米 横72厘米
台北故宫博物院藏

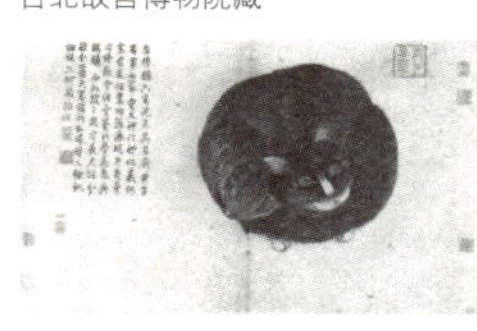

沈周 写生册页（二幅）
明 纸本水墨
纵34.8厘米 横54.9厘米（猫）
纵34.7厘米 横55.4厘米（驴）
台北故宫博物院藏

镇做榜样，继续努力发扬文人画。

例如沈周，就是一个最好的例子。

沈周是明代文人画的领导人物，他非常用功，留下的作品很多。

他的诗、书法都很好，是一个标准的文人画家。

· 沈周的《策杖图》轴 ·

沈周一生崇拜元代的文人画。他的大部分作品，用笔很接近吴镇，给人一种安静和平的感觉，好像从来不急不忙，非常安闲。

他有时也学倪瓒的用笔，例如《策杖图》就是。

画面上那些细瘦的树，以及用比较尖锐的线条画出来的山石，都是倪瓒的风格。

画中有一个人，戴了大斗笠，手提拐杖，在路上漫步。

这是很标准的元代文人画风格。

不过，沈周既然生活在明代，虽然深深崇拜元朝的文人画家，终究是逃不过明代入世精神的影响。

沈周有一组写生册页，画了很多有趣的小动物。

他画了一只猫，有圆圆的身体，蜷缩成一团，另外还有小驴子等等。这些画，可以看出沈周的另外一面。不少明代画家，也画了很平凡的小动物、蔬菜、水果等等题材。这都是明代绘画题材转向市民生活的证明。

· 文徵明的《古木寒泉图》轴 ·

文徵明也是明代一个重要的文人画家。他的书法非常有名，诗也写得很好，可以说也是一个“诗、书、画”三绝的文人画家。

在宋代和元代之后，明朝的一般画家，常常为了学习前代大画家的作品，不断模仿临摹，结果牺牲了自己的风格。

文徵明和沈周，都是很努力学习前代作品，同时又能创造出具有个人风格的作品。这是很不容易的事。

例如，文徵明七十九岁画的一张《古木寒泉图》，就可以说明这一点。他在一张很长的纸上，画了古老的松柏，枝干相互交叉纠缠，透露出苍劲挺拔的气势；右边一道泉水，从高处直泻而下。

文徵明 古木寒泉图轴
明 绢本设色
纵193.6厘米 横59厘米
台北故宫博物院藏

从这张画，可以看到文徵明的画法功力，尤其是松树枝干的线条，腾空飞舞，简直像写字一样。

个性潇洒的唐寅

唐寅就是唐伯虎。

民间有很多关于他的传说。看起来他是一个个性自由，不愿受拘束的文人。他常常喝醉酒，在酒楼里跟唱歌跳舞的女子一起玩乐，也不在意别人的批评。

他非常聪明，考试考得很好，可是又不愿意正正经经地去做官。

他的书法和诗文都非常好，被人称为“才子”。

他五十岁以后，写了一首诗，后来常常用来题在自己的画上。这首诗开始是这样的：

> 醉舞狂歌五十年，花中行乐月中眠。
> 漫劳海内传名字，谁信腰间没酒钱。

这首诗很可以看出唐寅的个性：潇洒浪漫，喜欢在花林中，在月下唱歌跳舞。他名气很大，却常常穷得没有钱买酒。

不过，我们也不要以为唐寅是一个只会喝酒行乐的人。事实上，他在绘画上很用功。他学习宋代画家的作品，又加上他自己的创造，擅长经营很纤细、很富诗意的画面。

·唐寅的《溪山渔隐图》卷和《仕女图》·

我们来看看他那幅很有名的《溪山渔隐图》。

这张画描写两位隐士，在秋天的溪谷中吹笛游玩。江面上漂满了红色的枫叶。我们仿佛听到水声、风声和笛声，一起在空气中荡漾。

唐寅常常和美丽的女子来往，因此画过一幅《仕女图》，也很有名。

在宋代以前，我们看到的仕女，多半是宫廷贵族的妇女。你应该还记得张萱的《虢国夫人游春图》和周昉的《簪花仕女图》罢？

在唐寅的《仕女图》里，我们看到的女子，却都是民间的歌舞女郎。她们生活在酒楼中，唱歌跳舞，和客人们聊天。这是明代城市生活的一部分，也是唐寅最喜爱的生活。

唐寅常常把这些女子比喻为天上的嫦娥。事实上，她们只是唐寅亲近的女子。她们的发型、衣服，都是明朝一般城市妇女的样子。

唐寅本身也不再是元代隐居于山水中的安静文人，他已是一个喜爱热闹、浪漫生活的城市文人了。

唐寅 溪山渔隐图卷 局部
明 绢本设色
台北故宫博物院藏

唐寅 嫦娥奔月图轴 局部
明 纸本设色

喜欢在民间歌舞场所，过醉舞狂歌生活的唐寅，留下了许多细致唯美的作品。

泼墨的徐渭、陈淳和张风

明代是一个很复杂的时代。

一方面，有画家努力模仿唐宋古画，从事复古的工作；另一方面，也有画家大胆创作，破坏规矩，使绘画呈现全新的面貌。

徐渭就是大胆创新的一个。

民间有关徐渭的传说也很多。在大家的印象中，他是一个聪明绝顶的人，常常用诡计捉弄人。

现实生活中的徐渭，也的确有过很特殊的经历。他曾经做过官，后来因为牵连在政治事件中，就发了疯。

也有人说他是为了逃避坐牢，假装发疯的。总之，徐渭最后杀害了他的妻子，被捉去关在监牢里。他在监牢中好几次企图自杀，最后靠朋友的营救，才放了出来。

徐渭 花卉杂画卷 局部

明 纸本水墨 纵28.2厘米 横665.2厘米

东京国立博物馆藏

创作水墨画非常大胆地泼洒的徐渭，他的一生充满了戏剧性的悲剧。

徐渭 竹卷 局部

明 纸本水墨 美国弗利尔美术馆藏

徐渭的为人比唐寅还要任性，一生的遭遇也令人惊异。

徐渭的画，和他的为人一样，不拘小节，常常把一大摊一大摊的墨泼洒在纸上，再用毛笔去涂抹。

他画的竹子、荷叶、葡萄和紫藤等等不同的花卉和植物，猛一看，只是糊里糊涂的一堆墨块和线条，可是看久了，就能发现他画的是什么。

他画画的速度很快，表现出他暴躁疯狂的个性。

他的这种泼墨画，当然和宋代梁楷《泼墨仙人图》一类的画有关，只是更为大胆，更为自由。

明代画家中，也用这种写意泼墨来画画的，还有陈淳、张风等人。这一派到了明代末期，势力就越来越大了。

人物画

仇英、崔子忠、陈洪绶和吴彬

明代城市的繁荣，造就了人物画的兴盛。

前面提到过，明代的文人画家，都在山水画中恢复了人物的描写。唐寅更是以仕女画做重要的绘画题材。

到了明代中期，小说、戏剧在城市中发达起来。小说、戏剧的书，需要用版画来做插图，因此，很多画家也加入了画人物插图的工作。

例如仇英，他是漆工出身，他的工作就是用油漆在家具上画画。这种工作使他的作品和文人画很不相同。

他的《汉宫春晓图》、《文姬归汉图》等作品，大多是颜色艳

仇英 汉宫春晓图卷 明 绢本设色
纵30.5厘米 台北故宫博物院藏

崔子忠 扫象图轴 局部 明 绢本设色
纵152.5厘米 横49.4厘米 台北故宫博物院藏

丽，线条细致的历史人物画。

据说，他也为很多小说、戏曲画过版画插图，因此作品流传很广。

不过，仇英的人物画有模仿唐宋宫廷画的倾向，创造的部分比较少。

明代后期，另外还有两位画人物的画家，一位是崔子忠，另一位是陈洪绶。他们都能创造自己的风格。

崔子忠和陈洪绶都做过民间木刻版画的工作。

这种木刻版画，是把画刻在木版上，套上颜色以后，可以复印很多份，是一种早期的印刷术。

全世界最早的版画，就是中国版画。元朝以后，中国版画传到欧洲，也对西方的印刷术和文化的传播，产生了很大的影响。

民间的版画，可以不受宫廷的约束，也不必符合文人画的要求，

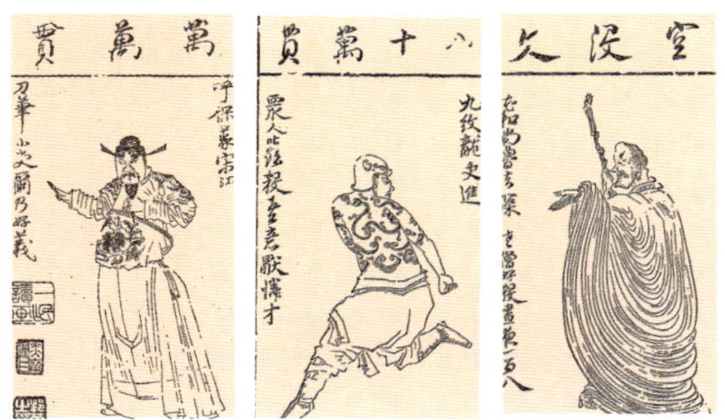

陈洪绶 水浒叶子（选三幅）
明 木版水印 纵18厘米 横9.4厘米 成都李氏藏

明代的许多画家，向民间学习制作小说的版画插图。

表现上非常自由，因此创造了许多活泼的人物造型。

崔子忠用很细密的笔来画佛教人物，造型很特别，也很夸张，吸收了强烈的民间版画性格。

陈洪绶画过《西厢记》的故事人物插图。他甚至替民间打牌用的纸牌，做了一套《水浒传》人物的插图。民间从戏剧、小说里知道的水浒英雄宋江、鲁智深、李逵，这些人物，都被陈洪绶生动地画了出来。

陈洪绶还画过晋朝大诗人陶潜的故事。他画陶潜爱喝酒的样子，嗅闻菊花的样子，不愿意做官的样子，神情都非常有趣。

陈洪绶用的毛笔线条长而婉转，好像流水一样，画面给人非常柔软优美的感觉。

其实这种细线，就是从顾恺之一辈的“春蚕吐丝”变化出来的。

陈洪绶 《西厢记》插图 明 木版水印
台北故宫博物院藏

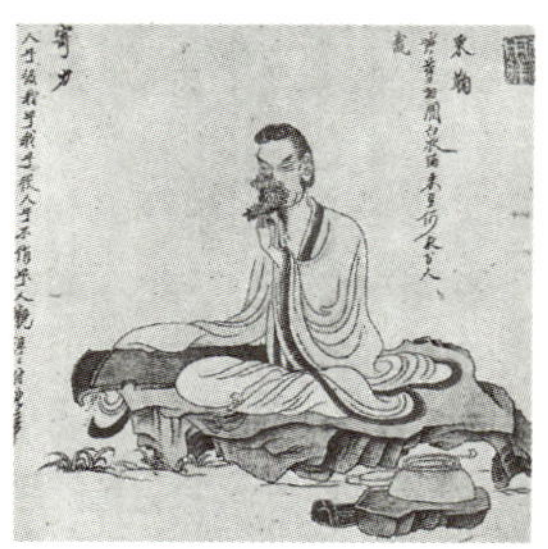

陈洪绶 陶渊明故事图卷 局部
明 绢本淡设色
美国檀香山美术学院藏

吴彬 临李公麟五百罗汉图卷 局部
明 纸本设色
纵33.3厘米 横2345.2厘米
美国克利夫兰美术馆藏

只是陈洪绶的人物造型都是创新的，所以我们不觉得他的线条是受了传统的影响。

陈洪绶的花卉、山水都画得很好，可以说是明代晚期最好的一位画家。

明朝亡了以后，陈洪绶去做了和尚，表示不愿意跟新来的满清政府合作。这些明朝晚期的画家，都表现了他们独特的性格。

一个名叫吴彬的画家，也和陈洪绶一样，喜欢画造型很怪异的人物和山水。

吴彬画的人像，常常把脸部拉得很长，好像出现在梦中的人，使人看了有一种不真实、虚幻的感觉。他画的山水也像梦中的山水，一层一层的大山，造型十分古怪。这些活泼的绘画形式，都是受了当时民间版画工艺的影响。

明末四僧

明朝灭亡以后，像陈洪绶那样，出家做和尚的画家很多，最有名的有四位，大家称他们为“明末四僧”或“清初四僧”。他们是：八大山人、石涛、渐江和石谿。

孤独悲愤的八大山人

八大山人（朱耷）和石涛（朱若极）都是明朝王室的后代，所以明朝的灭亡对他们打击特别大。

八大山人的画非常简单，常常只有一两笔，勾出一条鱼、一只鸟，姿态十分奇怪。他的画面，空白很多，用墨的方法有点像徐渭。

他画的鱼、鸟，常常使人觉得有人的表情，好像孤独愤怒的人，用冷冷的眼神看着这个世界。

因为明朝灭亡，八大山人一直很不快乐。

他有时哭，有时笑，在街上像疯子一样地唱歌。

八大山人的画，达到了中国水墨画“简单”的极致。无论多复杂的造型，他只用一两笔简单的线条，就能生动地表现出来。画这种画很困难，事先需要用很长的时间去观察事物，然后用很快的笔法勾勒下来。

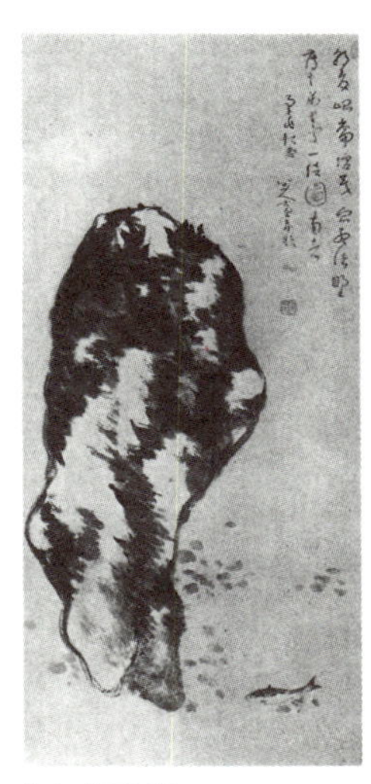

朱耷 鱼石图轴
清 纸本水墨
纵134.8厘米 横60.5厘米
上海博物馆藏

朱耷 安晚册（之一）
清 纸本淡设色
纵31.7厘米 横27.7厘米
日本京都泉屋博古馆藏

中国文人水墨的最高境界——八大山人。

吴彬 仙山高士图轴
明 纸本设色
纵162厘米 横59.1厘米
台北故宫博物院藏

石涛 游华阳山图轴
清 纸本设色
纵239.6厘米 横103.3厘米
上海博物馆藏

石涛提倡不模仿抄袭古人，他的“自有我在”，使绘画回到真性情的表达。

他画鱼在水中游动，也画河中或岸上的鸭子，都很生动有趣。

有时候，画家会把自己的表情、姿态和心理上的感受，不知不觉地画在对象的身上。

八大山人的画就是最明显的例子。

我们只要一看他的画，就可以感觉到这个画家的孤独、悲愤、狂傲的心情。

自有我在的石涛

石涛也是明朝皇室的后代，做了和尚以后，把满腔亡国的悲哀寄托在书画里。

他的诗也写得很好，是一个有学问的画家。

他画很多山水，用笔用墨很自由。他自己说："纵使笔不笔，墨不墨，自有我在。"

这是表示他非常勇于创造，敢用新的方法来画画。别人看他的画，批评他笔法和以前人不一样，用墨和以前人不一样，他也不在乎。他觉得画画应当有一个"我"在，也就是要有自己的画法，自己的风格，自己的面目；不要跟别人一样，不要失去自己的个性。

石涛有很长一段时间住在黄山上。

黄山是中国安徽省一座很有名的山。山上景色极好，有巨大的岩石，古老的松树，还有云海，十分好看。

黄山的风景给了石涛很多灵感。他不模仿古人的画法，却以黄山真实的风景为对象，画了很多精彩的画。

石涛 山水册页
清 纸本水墨

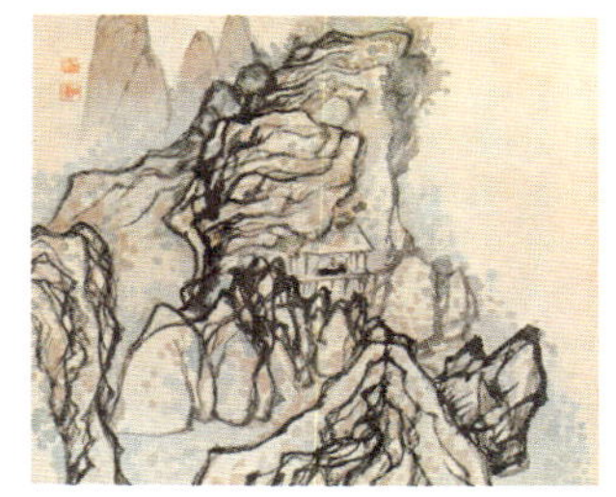

石涛 山水册页 清 纸本设色
纵24厘米 横28厘米 美国纽约王季迁氏藏

同样和石涛在黄山画画的明末画家，还有渐江、梅清两位。

孤高寒冷的渐江

渐江（法名弘仁）是安徽人，本来就住得离黄山很近。明朝亡了以后，他就出家做了和尚，长时间住在黄山上，一生以画黄山作为专业。

渐江的画，多半用很干燥的笔，画出黄山的悬崖绝壁。比较起来，八大山人和石涛画画时用的水分，都比渐江多得多。

渐江的画像元朝的倪瓒，但是比倪瓒的画还要孤高。

我们看渐江的画，可以感受到一种高山上的寒冷，好像连空气都冻结成玻璃。这种效果很令人奇异。

梅清画的黄山就很飘渺。他画的是黄山的云烟，一缕一缕，在四处飞动，好像连山也要飞起来似的。

繁复温暖的石谿

石谿（法名髡残）的画是四僧里最温暖的一个。他用笔很细密，画面密密麻麻，很少留空白。这一点很像元朝的王蒙。

他在四僧中，是颜色用得比较重的一个。

如果拿他的画和渐江比较，立刻可以看出来：渐江的画面很干净，皴法很少，大部分都是空白，好像镜子一样；石谿的画则繁繁复复，一层一层地堆叠。

这四个和尚，可以代表明朝亡了以后，中国无数的优秀画家。他们隐居在山林里，写诗作画，创造了很精彩的作品。

但是，另外一方面，也有不少画家，并不像四僧那样悲哀。他们在清朝做宫廷画家，画皇帝喜欢的画，锻炼绘画的技巧，临摹古画，

渐江 黄海松石图轴
清 纸本水墨
纵198.7厘米 横81厘米
上海博物馆藏

梅清 黄山图册 局部
清 纸本淡设色 纵32.6厘米 横44.8厘米
台北兰千山馆藏

石谿 山高水长图轴
清 纸本设色
纵322.1厘米 横127.8厘米
台北故宫博物院藏

明末亡国后，剃发做和尚的四个大画家，都各自开创了一个山水画的新江山。

吸收古代画家的经验。

这一群画家中，最出名的有四个。他们是：王时敏、王鉴、王翚、王原祁。因为他们都姓王，因此被称为“清初四王”。

“四王”和“四僧”，其实都在同一个时代，只是绘画的方向不同，形成了不同的派别。

清

—— 西方绘画观念、技法的影响与绘画职业化

明末清初

从明朝到清朝的这一段时间，有许多欧洲的传教士来到中国。他们同时也带来了西方的绘画观念和技法。

当时正是公元十六、十七世纪，欧洲经过“文艺复兴”运动，绘画上格外重视“透视学”。那就是用比较科学的方法来计算画中景物的比例，使画面看起来像真的一样，他们也很重视“写生”，画起人物来，不但肌肉、骨骼都要研究，还要画出人物脸上的阴影，使人物看起来有立体感。

这种画法，和中国明清时代的水墨画完全不同，因此很多好奇的中国画家，就开始学习西洋画了。

明人 沈周像轴 绢本设色
纵72厘米 横52.4厘米
北京故宫博物院藏

曾鲸 张卿子像轴 局部
明 绢本设色
纵111.4厘米 横36.2厘米
浙江省博物馆藏

明人 浙江人物志册页（选二幅）
纸本设色 南京博物馆藏

受西方影响，中国的绘画又开始注意到了光影、体积和距离的观察。

人物肖像写实画家

有一幅明朝大画家沈周的画像，就很有写生的味道，连脸上的老人斑都画了出来。这和文人画的“写意”风格是不相合的。

·曾鲸的《张卿子像》轴·

明朝的人物画家，最重视写实的是曾鲸，他替许多当时的人画过像。例如《张卿子像》，就是用工整写实的方法来画肖像，像现代的摄影。这很可能就是受到外来画风的影响。

民间一些无名画家替当时官吏画的像，采用阴影的方法来处理人物面部的肌肉，并且很注意刻画细微的眼神和表情。这都可以看出是受到西方绘画的影响。

外籍画家郎世宁

在西方绘画进入中国的这一段时间，最具有代表性的画家，要算是乾隆皇帝的宫廷画师郎世宁了。

郎世宁等 乾隆帝及皇后图卷 局部
清 绢本设色 纵52.9厘米 横688.3厘米 美国克利夫兰美术馆藏

郎世宁是意大利人，康熙时候就来到中国。

他是传教士，可是在来中国传教之前，就已经有很好的西方绘画训练。

他到中国以后，很自然地就用中国画画的材料来画画，也很自然地把他在西方学习绘画的方法都用进去了。

他画的画，颜色很鲜艳；对动物、植物的描写，都是西方科学训练下的写实方法，尤其重视透视和写生。

乾隆皇帝很喜欢他的画。他后半生就住在宫廷里，替乾隆皇帝画了很多像，也替皇帝的“骏马”、“狗”，以及宫廷里的鸟类、花卉，画了许多非常写实的画。

当时的中国画家，有些人对郎世宁的画很好奇，也跟他学画。

但是，也有些画家很排斥郎世宁，认为他画的不是中国画。

你的看法呢?

现在我们画的水彩、油画，也都是西方的绘画。现在，世界各民族的来往，已经越来越密切。我们除了要正确认识中国的绘画传统之外，也应该吸收其他民族绘画的长处。

郎世宁是最早用中国的材料、工具来画画的西洋画家。他突破了很多困难，把这两种不同的绘画融合在一起。

现在，我们有很好的机会，可以尝试把中国的绘画技巧和西洋的绘画技巧结合在一起。

说不定新的风格就在这尝试中产生了呢？

清朝中期

画风自由活泼的扬州八怪

清朝中期的时候，由于工商业发达，有很多城市变得格外富裕、繁荣。扬州就是其中的一个。

扬州城的居民当中，最有钱的一群是卖盐发财的商人。他们的财富，使扬州成为一个富庶的商业城市。

有钱的盐商，除了盖大房子，营造花园；还要找画家替他们画画、写字，并且挂起来装饰墙壁。因此，有一些画家，为了卖画，都集中到扬州城里。

扬州城里这些有钱的商人，喜欢活泼、有生命力的画。因此，画家也受到这种自由活泼风气的感染，创造了许多新的绘画。

这些画家，因为不用当时流行的方式来画画，也不模仿古人的画法，常常使一般人觉得奇怪。他们又都生活自由，行为不受拘束，因此一般人就称他们为“扬州八怪”。

有些人认为“扬州八怪”是八个画家。其实，不一定是八个。他们是一群聚集在扬州的画家，共同形成了一个画派，所以也许把它叫做“扬州画派”更为合适罢。

· 金农、郑板桥和罗聘 ·

扬州画派中最有名的是金农和郑板桥。

郑板桥曾经做过官，后来觉得做官不如做画家舒服，所以宁愿在扬州以卖画为生，过自由自在的生活。

金农的书法很有名。他的字好像刀子刻出来的一样，是学北魏的石刻字学出来的。

金农好像没有学过哪一家的画。他用写字的方法来画画，画出了非常天真朴拙的人物、风景，好像小孩子画的画。

金农的画受到民间年画或版画的影响很大。

年画是中国人以前过年时贴在家里的木刻版画，颜色很艳丽，造型也很大胆。

金农的画受到这种影响，已经完全不像宋元的文人画了。他用的

[左图] **金农　观荷图册页**
清　纸本设色　纵28厘米　横24厘米
美国旧金山亚洲美术馆藏

[右图] **金农　采菱图册页**
清　纸本设色

颜色很多，画面看起来也十分可爱活泼，充满了喜乐的气氛。

他尤其喜欢把民间流行歌的歌词写在画上，当作题画诗。他画了很多江南的风景。

他画穿红裙的女子驾着小舟采菱角，也画开满荷花的池塘，都很有民间生活的趣味。

郑板桥在山东做过县官，可是个性很强，看不惯一般官吏的生活态度，就辞官到扬州去卖画了。

郑板桥出身农村，对中国穷苦的老百姓十分同情。他的文章和诗文，常常表现这种思想。

郑板桥勇于创新。他写的字，主要是从汉代的隶书变化出来的。隶书古称“八分”，可是郑板桥称呼自己的书法是“六分半书”。

他又用写字的方法画兰花和竹子。兰花、竹子是古代传统的绘画题材，可是经过他在画上用很新奇的方法题诗之后，好像这些兰花、

[左图] **郑燮（板桥）竹石图轴**
清 纸本水墨
纵170厘米 横90厘米
天津市艺术博物馆藏
[右图] **罗聘 醉钟馗图轴**
清 纸本淡设色
纵57厘米 横39厘米

扬州画派是中国富有的商贾支持绘画的最早成绩。

竹子都有了特别的意义。

他把书法、诗、绘画，完全融合在一起，甚至把书法题在画面中央。这些都是很有突破性的创造。

金农的一个学生罗聘，继承了金农天真朴拙的风格。罗聘画的人物特别有趣，在造型上也很受陈洪绶的影响。

罗聘特别喜欢画鬼，在可爱有趣的风格中，寄托了一些讽刺的意味。

扬州画家基本上继承的是明代城市市民绘画的传统，所以人物画、花卉画特别多，趣味的表现也比较自由，颜色都很鲜明，有活泼积极的入世精神。

这些特征，在扬州其他几位画家的身上也都可以看得见。这些画家包括华喦、李鱓、黄慎等人。

清末市民画家

绘画的职业化、商业化

· 虚谷、蒲华、任熊、任薰和任伯年 ·

扬州画派之后，中国和西方接触更加频繁，工商业城市逐渐多了起来。特别是西洋的商船进入中国之后，中国南方沿海的口岸，商业更加繁荣，对市民画家的成长更加有利。

当时在沿海一带活跃的市民画家有虚谷、蒲华、任熊、任薰、任伯年等。任熊、任薰是两兄弟。他们画人物，也画花鸟。任熊画了很多剑侠、神仙的人物画，很受社会的喜爱，被民间刻成版画，做成赌博用的纸牌。

这些市民画家，已经脱离了文人孤高的性格，和民间艺术打成

任熊 人物图

任伯年 女娲补天图轴
清 纸本设色
纵119.6厘米 横66厘米
美国纳尔逊——阿特金斯美术馆藏

一片。他们也接受了买画卖画的商业行为，把绘画当作一种职业来谋生。

他们两人教出来的学生任伯年，更是一个商业城市中的标准职业画家。

任伯年活跃在上海，那是沿海新兴的工商业大城。他的家庭本来就是以做肖像工艺品为业。后来他以卖画为职业，是最自然不过的事情。

任伯年最喜欢画历史或民间传说的故事画，例如“女娲补天”、“苏武牧羊”、“花木兰”、“钟馗斩鬼”等等。这也说明了城市市民不再喜欢山水画，他们对传奇、故事，对现世的人物更感兴趣。

任伯年受到陈洪绶的影响也很大。他的人物造型很奇特大胆，也具备强烈的民间性格。

· 虚谷的日常写生画——《蔬鱼图》 ·

虚谷原来是一个清朝的将官，后来出家做了和尚。

虚谷的画有很强的西方色彩。他似乎受过严格的写生训练，喜欢鲜艳的颜色，用很干的笔画出带有光影感觉的金鱼、蔬菜、松鼠，很像西方的水彩画。从他的作品可以看出中国绘画和西方绘画接触以后的变化。

他的《蔬鱼图》，画了几根青蒜用红绳绑着，还有一只圆形的鲳鱼。这些日常生活中常见的蔬鱼，经画家一处理，特别有一种民间的活泼趣味。这一类的日常蔬果题材，经过扬州画家开发以后，逐渐成为市民画家最爱画的题材。

任伯年、吴昌硕、蒲华，都曾用不同的方法画过这一类的蔬果。

当然，能把这一类题材表现到极致的画家，应该是清末民初的齐白石了。

[左图] **虚谷 蔬鱼图册页** 清 纸本设色 纵34厘米 横42.1厘米 天津市艺术博物馆藏
[中图] **任伯年 中秋赏月图轴** 清 纸本设色 纵122厘米 横60厘米
[右图] **吴昌硕 天竹图轴** 清 纸本设色

清末民初

—— 中西交会，传统与现代的融合

齐白石——合大笔挥洒与工整细致于一体

齐白石是中国美术史上一个不可多得的大画家。

他出生在湖南一个很穷苦的农村，从小就必须下田劳作，饥荒时还要到山上寻找野菜吃。

但是，这种穷苦的日子不但没有阻碍齐白石的成长，相反地，童年这一段农村生活的经验，竟是他成为画家之后，取用不竭的绘画泉源。

他画两只小鸡正在争夺一条蚯蚓。他画一群一群的蝌蚪，在水中游动。他画停在稻穗上的蝗虫，有绿色的翅翼，浅色的肚腹。他画的虾，身体还是透明的，仿佛要跳跃起来！如

齐白石 荷花影图轴
民国 纸本设色

从民间的木匠到文人画家，齐白石的一生，总结了中国的近代绘画。

齐白石 他日相呼图轴
民国 纸本水墨

齐白石 虾
民国 纸本水墨

果没有他童年丰富的农村生活经验，绝对无法把这些画画得那样生动亲切。

我们可以说，齐白石把中国民间老百姓的日常生活，画成了一个美丽的世界。这些原来在我们生活中微不足道的事物，经过他的描绘，好像忽然有了深长的意义。

齐白石把以前画家从不画在画中的东西都画了出来。例如：蝗虫、老鼠、扫把、白菜、玉米、高粱、稻麦、喇叭花、蜡烛，甚至牛粪、蝌蚪，这些生活中常见的东西，都一一进入他的画中。中国画原有的清雅孤高的面貌，经过他这一改，就变得更具有民间的活泼精神了。

齐白石小时候做过木匠，又学过雕花。他直到二十几岁才开始拜师学画，学写诗，学刻印。

他原来学习的是八大山人的画，练习运用简单有力的线条。后来，他又为八大的笔墨加上鲜艳的颜色，使中国画充满了华丽的色彩。这也是他受民间个性的影响罢。

齐白石活了九十五岁。他越到老年画得越好，不但不萎弱，反而更加生气勃勃，无论颜色、用笔，都更加大胆自由。

齐白石常常用写意的大笔挥洒花卉树木，却又用很工整细致的笔法来画很小的蜻蜓、草虫。对别人来说，这两种画法很难放在一起，但是在他的画中，两者却融合得非常好，一点儿也不尴尬。

看了齐白石的画，我们一定会觉得世界真是非常美好，连一些最微小的草虫也那么可爱，生活过得那么快乐。透过齐白石笔下的可爱世界，我们也感受到生命欣欣向荣的喜悦。

齐白石一直到老年都能保有童年的天真，像一个小孩子一样。小孩子最能发现世界的美丽，所以中国人总是说："大人者，不失其赤子之心者也。"也就是说，真正成熟伟大的人，常常能够保有孩子的天真之心。就因为这样，他也才能体会到生活的美丽，世界的可爱。齐白石不断把美丽的东西画出来，我们看了他的画，同样感受到生命的喜悦。

齐白石距离我们的时代并不远，他所留下来的画，经常出现在我们的

齐白石　篱菊群鸡图轴
民国　纸本设色
纵152.7厘米　横40.5厘米
日本大阪个人藏

生活中。我们是否也觉得人生美丽呢？我们是否也应该像他一样快乐地画画呢？

徐悲鸿——改良中国传统绘画

徐悲鸿是最早到欧洲学习西方绘画的中国画家之一。

中国的绘画，一直保有自己独特的传统。可是，到了20世纪，西方的科技、政治、经济，都影响了中国。中国人本身的生活方式，也因此发生了很大的变化。

我们现在再看中国古代的绘画，有时候竟会感到陌生，因为那些画和我们的生活内容相差太大了。

徐悲鸿到了法国以后，就努力学习欧洲的绘画。他对于写生的训练，透视法的技术，都学得很认真。

徐悲鸿回国以后，就拿欧洲绘画的一些长处来改良中国的绘画。

徐悲鸿画过很多大幅的油画。

油画是用颜料掺油画出来的画，和中国画以水来混合墨和颜料不一样。

徐悲鸿 愚公移山 民国 纸本设色 纵144厘米 横431厘米

参考西方绘画，试图改革中国绘画的徐悲鸿，在绘画革新的观念上启发了后代。

徐悲鸿　田横五百士　民国　油画　纵161厘米　横284厘米

·油画《田横五百士》·

徐悲鸿用油画画了一些中国历史故事画，例如：《田横五百士》。

这张大油画，描写田横和他的五百名部下，因为忠于国家，一起自尽殉国的故事。画中穿红袍的田横正与众人告别。

我们都知道，在传统的中国画里，很少有人用这样大的画面来处理历史故事。

在这幅画里出现的每一个人物，都是徐悲鸿个别找了临摹的对象，先做写生练习，然后再组合成画。

·油画《奚我后》·

另一张叫做《奚我后》的大油画，画的是古代灾荒中难民流亡的情形。

画中有许多没有饭吃的老百姓，可怜地看着天，似乎在等待别人的拯救。

徐悲鸿 徯我后 民国 油画 纵202厘米 横283厘米

徐悲鸿 泰戈尔像
民国 纸本设色 纵51厘米 横50厘米 徐悲鸿纪念馆藏

徐悲鸿受到西方近代人物写生的影响，很注意每一个人物的表情。在这一张人物众多的画中，他对每一个人物的姿态、表情都做过仔细的研究。

徐悲鸿在画这两张画时，中国正遭受日本军阀的侵略，老百姓生活很苦，所以徐悲鸿有意用历史故事画来反映当时社会的情形。

徐悲鸿不断地把西方绘画的观念、技法和工具介绍到中国，并且在学校里用这种新的绘画方法来指导学生。

我们现在学校美术课的内容，大都是从徐悲鸿时代延续下来的，有石膏像素描的练习，也有写生等等。

不过，到了后来，徐悲鸿又拿起中国画水墨画的工具来画画了。

他用中国画水墨画的工具，加上西方的技巧训练，创造了一种新的水墨画。

我们所处的时代，是中国和西方交会的时代。在绘画方面，中国的和西方的，也正在融合。我们需要参考世界各国的美术，使中国原有的绘画变得更新，也更现代化。

这一点，徐悲鸿给了我们很好的榜样。

图书在版编目（CIP）数据

写给大家的中国美术史／蒋勋著．—北京：生活 · 读书 · 新知三联书店，2008.11（2012.3 重印）
（中学图书馆文库）
ISBN 978－7－108－02874－7

Ⅰ．写…　Ⅱ．蒋…　Ⅲ．美术史－中国－青少年读物
Ⅳ．J120.9－49

中国版本图书馆 CIP 数据核字（2007）第 193787 号

责任编辑　杨　乐
装帧设计　朱　锷
责任印制　郝德华
出版发行　生活 · 讀書 · 新知三联书店
（北京市东城区美术馆东街 22 号）
邮　　编　100010
图　　字　01－2004－0621
经　　销　新华书店
印　　刷　北京盛通印刷股份有限公司
版　　次　2008 年 11 月北京第 1 版
2012 年 3 月北京第 2 次印刷
开　　本　787 毫米 × 1092 毫米　1/32　印张 7.5
字　　数　100 千字　图片 242 张
印　　数　10,001－15,000 册
定　　价　45.00 元